英検®準2級合格問題集

監修 野崎順 江川昭夫

高橋書店

はじめに

「英検」準2級に新しい問題が増えたらしいんだけど、どうすればいいの?

今度「英検」準2級を受けるんだけど、何をすればいいの?

過去問をやってみたけど、全然わからなくて途中でやめちゃった

　「英検」対策指導をしていると、このような生徒たちの悩みをよく聞きます。そんな悩みに応えるために、作ったのが本書です。

　「英検」準2級のリニューアルした問題にとまどっている人も、どう対策していいかわからない人も、過去問に心を折られてしまった人も、この問題集に取り組めば、合格への道が見えるはずです。

この問題集を解けば…

こんなふうに変化すると思います。

本書は、多くの「英検」準2級合格者を送り出してきた私たちの、長年の「英検」指導でつちかった「合格するための秘訣」と「英語が苦手な人でも学習を続けられる仕掛け」がギッシリ詰まっています。

ぜひこの問題集で「英検」準2級合格をつかみ取ってください！

野崎順・江川昭夫

「英検」受験のメリット

 学校の勉強や部活、習い事もあるのに、「英検」の勉強までやらなきゃいけないのかなぁ

「英検」を取っておくと、将来、役に立つ可能性があるよ

　「英検」は、公益財団法人日本英語検定協会が主催する、英語の力を測る試験です。リーディング（読む）、ライティング（書く）、リスニング（聞く）、スピーキング（話す）の4技能が問われます。
　以前から英語能力試験として知名度が高く、学生から社会人、シニアまで多くの方が毎年受験しています。

　近年、「英検」は中高生から非常に注目されています。それは取得すると、進学・留学資格認定で有利になることがあるためです。
　たとえば、高校入試では資格取得により以下のような優遇措置を受けられる学校があります。

▼ 高校入試での「英検」取得のメリット

推薦入試の出願資格が得られる	基準（スコア）を満たすことで、推薦入試の出願資格が得られる
得点加算	基準に応じて、入学試験の総合得点に、点数が加算される
内申点加算	基準に応じて、内申点の点数が加算される

大学入試でも、大学が定める基準を満たすことで、英語の得点が「満点」扱いになったり、英語の得点に加算されたりする場合があるよ

※内容は変わる場合があります。必ずご自身でも各学校のHP等で確認してください。

受験のときにがんばればいいんでしょ。いまから「英検」を
やらなくてもいいよね

外部検定には、何回も受験できるメリットがあるよ

入試は基本的に年に1回の一発勝負です。受験日に向けて、英語をふくめたくさんの科目を同時に勉強する必要があります。

一方、「英検」は複数回の受験が可能です。入試対策が本格化する前に合格しておけば、受験期の負担が減らせるというメリットがあります。

また、年3回の従来型試験の他に、S-CBTというパソコンを使った試験があります（従来型の年3回に加えて、S-CBTは4〜7月に2回、8〜11月に2回、12月〜3月に2回、合計6回の受験が可能）。複数回チャレンジできるのが「英検」の魅力なのです。

TOEIC®とか他の試験じゃダメなんですか？

多くの学校で利用されているのが「英検」なんだ

「英検」の他にも、「TOEIC®」「GTEC®」などたくさんの試験があります。英語力を示すだけなら、どの試験問題でも同じです。

「英検」が優れているのは、試験会場が多く、住んでいる場所の近くで受けられる点です。

また、大学受験時の「外部検定利用入試」で利用できる大学が多いのも特徴です。

調査によれば外部検定利用入試を利用した受験生のうち、90％以上は「英検」を利用していました。今のうちから、試験形式に慣れておく点でも、準2級の取得は強みになるでしょう。

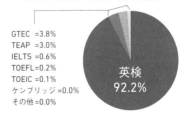

受験生が利用した外部検定
（2021年一般選抜／131大学、78,735人集計）

GTEC =3.8%
TEAP =3.0%
IELTS =0.6%
TOEFL =0.2%
TOEIC =0.1%
ケンブリッジ =0.0%
その他 =0.0%

英検
92.2%

**外部検定利用入試2022年は
424大学！**

旺文社 教育情報センター
2022年2月25日付プレスリリースから引用

この本で合格できる理由

圧倒的合格率の「英検」対策講座を再現！

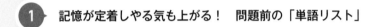

　今も中高生に「英検」対策を指導する現役教師の監修者が、合格のノウハウを凝縮しました。「こんな問題集がほしい！」という生徒たちの声にこたえて、他にはない3つの特長を盛り込みました。

1 　記憶が定着しやる気も上がる！　問題前の「単語リスト」

　「英検」対策で大切なのは語彙力です。単語の意味がわからないと、問題を解くことができず、勉強を途中でやめてしまいます。そこで、問題の前に「単語リスト」を用意しました。事前におさらいしてから問題に挑戦することで、

❶予習の効果で問題が解きやすくなり、正解する喜びが学習意欲を高める
❷覚える単語数がしぼれてやる気が出る
❸復習もしやすく、語彙が定着しやすい

といったメリットがあります。

2 　短い文章でポイントがわかる「書き込み式解説」

　動画視聴が一般的になり、文章を読むのが苦手な人が増えています。だらだらと長い解説は、なかなか読む気になれません。
　本書では、部分訳やポイントと問題文が一緒に見える「書き込み式解説」を採用。解説文が短くなり、英文と訳の対応もつかみやすくなります。

3 どんな人も「書ける」ようになる！「間違い探し式」ライティング対策

ライティングは苦手とする人が多い分野です。その傾向を分析すると、以下のような原因が見えてきます。

❶ 採点基準がはっきりしないので、
　　何を書けばいいのかわからない
❷ どうやって書いていいのかわからない
❸ 英文を書くのがめんどうくさくて、
　　対策が後回しになる

　そこで、本書では、解答例の誤った部分を読者が見つける「間違い探し式」のライティング対策を採用しました。悪い例と良い例を比較することで、ライティングの採点基準に沿った英作文を書く力が自然と身につきます。
　さらに、2024年度から新設されたEメール問題にも完全に対応しています。

このほかにも、「英検」合格のために必要な要素を凝縮しました。

●リスニングに使える音声ダウンロード
●二次試験（スピーキング）対策ができる面接対策動画
●模擬テスト

ぜひ、この本を活用して、最短での合格を目指してくださいね！

受験ガイド

※内容は変わる場合があります。最新の情報は「英検」のHP等でご自身でご確認ください。

● 準2級の出題レベル
準2級のレベルは「高校中級程度」とされています。

● 準2級の試験形式
準2級には一次試験合格後に二次試験を受験する「従来型」と、4技能を1日で受験する「S-CBT」があります。

従来型	S-CBT

従来型

☐ 年3回実施
☐ 一次試験と二次試験に分けて開催

【一次試験　マークシート方式】

筆記試験（80分）

リーディング（29問）／ライティング（2問）

リスニング試験（約25分）

リスニング（30問）

一次試験合格の場合
後日に二次試験実施

【二次試験　面接方式】

面接試験（約6分）

スピーキング（5問）

合格

S-CBT

☐ 毎週実施（最大年6回受験可能）
☐ 4技能を1日で試験
☐ PC画面上での操作

スピーキング（15分）

※動画を見ながら、パソコンへの音声吹き込み

リスニング試験（25分）

リスニング（30問）　※マウス操作

リーディング・ライティング（80分）

リーディング（29問）※マウス操作
ライティング（2問）※タイピングと解答用紙への手書きが選べる

合格

●準2級の試験内容

▼ リーディング

短文の語句空所補充	文脈に合う適切な語句を補う	15問	短文 会話文	4肢 選択
会話文の空所補充	会話文の空所に適切な文や語句を補う	5問	会話文	
長文の語句空所補充	パッセージの空所に文脈に合う適切な語句を補う	2問	物語文 説明文	
長文の内容一致選択	パッセージの内容に関する質問に答える	7問	Eメール 説明文	

▼ ライティング

Eメール	返信メールを英文で書く	1問	Eメール	記述式
英作文	質問に対する意見を英語で論述する	1問	質問文など	

▼ リスニング

会話の応答文選択	会話の最後の発話に対する応答として最も適切なものを補う （放送回数1回）	10問	会話文	3肢 選択
会話の内容一致選択	会話の内容に関する質問に答える（放送回数1回）	10問	会話文	4肢 選択
文の内容一致選択	短いパッセージの内容に関する質問に答える（放送回数1回）	10問	物語文 説明文	

▼ スピーキング

音読	50語程度のパッセージを読む	-	個人面接 （S-CBTの場合は、PC画面上の出題に対し、音声吹き込み）
パッセージについての質問	音読したパッセージの内容についての質問に答える	1問	
イラストについての質問	イラスト中の人物の行動を描写する	1問	
	イラスト中の人物の状況を説明する	1問	
受験者自身の意見など	カードのトピックに関連した内容についての質問に答える	1問	
	日常生活の身近な事柄についての質問に答える	1問	

CONTENTS

第 1 章　ライティング　15

第 2 章　リーディング　61

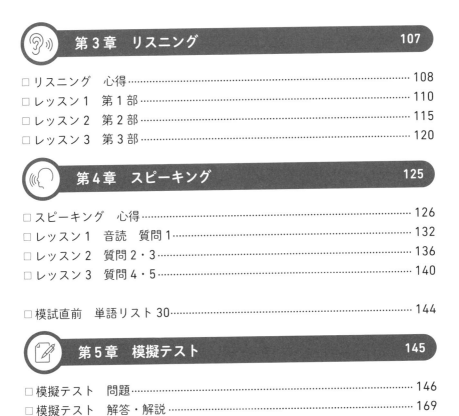

編集協力：株式会社エディット、久里流ジョシュア（英知株式会社）
本文デザイン：永田理沙子（株式会社dig）
イラスト：柏原昇店、笠原ひろひと
DTP：株式会社千里
校正：株式会社鷗来堂
音声収録：ユニバ合同会社
ナレーション：ジュリア・ヤマコフ、ピーター・ガーム、小谷直子

本書の使い方

本書は、監修者が授業でつちかった「英検」対策メソッドを書籍で再現しています。以下の流れを参考に、ぜひ合格をつかみ取ってください！

❶ 各章の心得を読む

各分野の最初には、問題の全体像と対策法がわかる「心得」を掲載しています。ここを読んで、解き方をイメージしてレッスンに進みましょう。

❷ 赤シートを使って、単語リストをチェック

各レッスンの最初には、重要単語リストを付けました。自分のレベルに合わせて、以下のような活用ができます。

初級	単語リストを覚えてから、すぐ問題を解く ➡単語に先に目を通すことで、問題が解きやすくなります
中級	単語リストを覚えた後、1日以上たってから、問題を解く ➡時間をあけることで、記憶が定着します。問題を解きながら、覚えた単語と覚えていない単語を区別し、復習に生かしましょう
上級	先に問題を解いてから、単語リストをチェック ➡自信のない単語には印をつけて、受験当日までに復習しましょう

❸ 問題を解く

実際に問題を解きます。選択肢も重要単語ばかりを集めているので、意味がわからなかったものにはチェックを入れておくのがポイント。

❹ 解説を読む

本書では、先生が授業で行うように英文に赤字を書き込んだ「書き込み式解説」を採用しました。英文のすぐ近くに意味や解説が書かれているので何度もページをめくらずにすみます。問題文の意味がわからなかった人は、どこでつまずいたのか確認ましょう。

❺ 間違えた単語を復習する

ひと通り問題を解いたら、単語リストに戻って、重要単語を頭に叩き込みます。

❻ 模擬テストで確認

最後に模擬テストで総仕上げ。時間を計りながら実際の試験をイメージして解いてみましょう。

リスニング音声・面接対策動画の再生方法

🔊 音声再生・ダウンロードの方法

パソコン・スマートフォン・タブレットで簡単に音声を聞くことができます。以下の手順に従ってダウンロードしてください。

❶ 右の二次元コードを読み取るか、
　もしくは下記の専用サイトにアクセスしてください。
　https://www.takahashishoten.co.jp/audio-dl/27620.html

❷ ❶のページにアクセスし、パスワード「27620」を入力して「確定」
　をクリックしてください。

❸「全音声をダウンロードする」のボタンをクリックしてください。
※トラックごとにストリーミングでも再生できます。

❹ zip ファイルを解凍し、音声データをご利用ください。

▶ 動画再生の方法

上記の二次元コードリンク先ページ内に、動画へのリンクが貼られています。該当部分をクリックして、その都度再生してください。
（動画はダウンロードできません）

※本サービスは予告なく終了することがあります。
※パソコン・スマートフォン等の操作に関するお問い合わせにはお答えいたしかねます。

第 1 章

ライティング

WRITING

ライティング　心得

1　はじめに

　英検準2級合格のためにはライティングがいちばん大切です。ライティングを解かない、または質問されていることに答えていないという「重大なミス」をすると、ライティングが「0点」になります。ライティングが「0点」だと、リーディングとリスニングがたとえ「満点」でも合格できません！

　ライティングを解く時間がなくなったというミスはよく聞きます。できるだけライティングを最初に解きましょう！

　ライティングを解く時間の目安は、Eメールが15分間、英作文が20分間、合計35分間です。制限時間はリーディングとライティング合わせて合計80分です。

2　採点項目

❶内容	それぞれの問題で問われている内容にきちんと答えられているか。
❷構成	（※英作文問題のみ）意見➡理由①➡理由②という英文の流れで書かれているか。
❸語彙	それぞれの文章に合わせて、適切な英単語や英語表現がきちんと使えているか。
❹文法	それぞれの文章に合わせて、いろいろな文法を適切に使えているか。

3 採点方法

　Eメール問題と英作文問題を、それぞれ以下の評価項目で評価して、合計した得点がCSEスコアに変換されます。

Eメール問題

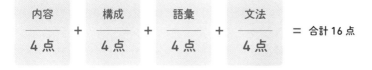

内容		語彙		文法	
4点	+	4点	+	4点	= 合計12点

英作文問題

内容		構成		語彙		文法	
4点	+	4点	+	4点	+	4点	= 合計16点

ライティング総計　28点　→　特殊な　計算　CSEスコア 600点満点

　Eメール問題で12点、英作文問題で16点、合計28点で採点されます。その後「特殊な計算」で600点満点のCSEスコアに変換されます。

　残念ながら、この「特殊な計算方法」は公表されていません。ただし、合格の目安はオール3点の計21点です。リスニングかリーディングが得意でないなら、まずは21点を超えられるようにしましょう。

ライティング問題① Eメール問題

●リニューアルで新設されたEメール問題

2024年度のリニューアルで準2級に新設されたEメール問題。
新しい問題だけど、こわがる必要はないよ。
なぜなら、今までのライティング問題（英作文問題）よりもカンタンなんだ。以下のポイントを押さえておこう

▶ Eメール問題攻略法

1. 指示文にある条件を守る

「下線部の内容について2つ質問する」「相手の質問に答える」という指示をしっかり守れば大丈夫です。答え方のパターンをつかめばカンタンに書けるようになります。

2. 相手のメールをよく読む

下線部や質問以外のメールの内容も大切です。そこに書かれている内容をふまえて答えないと、減点されてしまうかもしれません。
ただし、リーディングの長文よりもずっと短くてカンタンな英語で書かれているので、あまり心配しなくても大丈夫です。

3. 構成は考えなくてよい

Eメール問題には、「構成」という評価項目がありません。書く順番や構成については深く考えず、指示文で求められていることにきちんと答えましょう。

ライティング問題②　英作文問題

●リニューアル前からあった英作文問題

以前からあった英作文問題。Eメール問題と比べると、こちらの方が書く文章量が多くて、より深い思考力が問われるから、レベルが高いんだ。でも、あせる必要はないよ。以下のポイントを押さえておこう

▶英作文問題攻略法

1．聞かれているトピックについて答える

当たり前のことだけれど、これが意外とむずかしい。まず、トピック文に出てくる単語を理解できないと、全然違う内容を書いてしまうことになります。そうならないためには語彙力（単語力）が必要です。

2．書く前に「構成」を考える

Eメール問題とは違って、英作文問題では「構成」の評価項目があり、構成をしっかりと考える必要があります。ただやみくもにいきなり書くのではなく、一度書く内容と順番を整理してから書きましょう。

3．書いたら見直しをする

英作文問題では、自分の意見の立場がブレないようにする必要があります。ながながと理由や説明を書いている間に、自分の立場がブレてしまっていないか、きちんと見直しをしよう。

これらのポイントを押さえて、この後のレッスンでトレーニングすれば、どうやって答えればいいかわかるよ

STEP1　Eメール問題　内容のポイント

● 内容の予想評価ポイント

指示文で求められているポイントが含まれているか

▶ Eメール問題の「内容」で予想される評価項目です。

☑	Eメールへの反応が書かれている。
☑	問題文の下線部について質問している。
☑	相手からの質問に答えている。
☑	Eメールの内容を読んだ上での返事になっている。

● 書くときの注意点

1	問題文のEメールの内容にリアクションしましょう。「それが聞けてうれしいよ（I am glad to hear that）」などと感情を書きます。
2	下線部の「特徴」を問う「具体的な」質問を「2つ」する必要があります。具体的な特徴なので、What や How を使った疑問文がおすすめです。
3	問題文のEメールの終わりに書かれている、相手からの質問に答えます。「自分の意見」と「その詳細や理由」を説明しましょう。
4	ついつい重要でない文を読み飛ばしたくなりますが、返事を書くときに「相手がすでに書いている内容」を書いてしまったら、減点につながるので、気を付けましょう。

> **オリジナル予想問題**
>
> 右ページの英文は、外国人の知り合い（Ella）から届いたEメールです。それに対する返信メールを考えましょう。ただし、Ella のEメール文中の下線部について、より理解を深めるために、下線部の特徴を問う具体的な質問を2つしましょう。

Hi!
Guess what? Next summer, I'm going to study abroad. My father finally agreed to my plan. I have wanted to stay in France for a long time. I have studied French very hard and had a lot of time to speak in French with my friends and teachers. I'm very excited to make new foreign friends. Not so many people around me study abroad. Do you think more people will study abroad in the future?

Your friend,
Ella

間違い探しにチャレンジ

上の問題文の内容をふまえて、以下の日本語の解答例の中で、間違いだと思う内容を探して、3か所に線を引こう。

Hi, Ella!
Thank you for your e-mail.

メールをくれてありがとう。

何語を勉強するの？

どのくらいそこに住むの？

君の質問について答えると、ぼくはこれからもっと多くの人が留学すると思うよ。なぜなら、海外に行くのが昔よりかんたんになっていくからだ。

君の周りにも外国留学する人がたくさんいるよね？

Best wishes,

解答は次のページ

GOAL

問題文訳

ねえ、聞いて（なんだと思う？）。次の夏に、私留学するんだ。お父さんが私の計画にやっと賛成してくれたの。長い間ずっとフランスに滞在したいと思っていたの。とても一生懸命フランス語を勉強してきたし、友だちや先生とフランス語で話す時間をたくさん持ってきたんだ。新しい外国人の友だちを作ることにとてもワクワクしてるわ。私の周りにはあまり外国で勉強する人がいないの。あなたは将来もっと多くの人が外国で勉強すると思う？

あなたの友だち、エラ

メールをくれてありがとう。
→留学できるなんてすごいね！

間違い① 「ありがとう」の文は枠外にあるので、必要ない。相手のメールへのリアクションを書こう

何語を勉強するの？
→どの街に住むの？

間違い② 「(フランス語)を学ぶ」とメールにあるので、それは聞かない

どのくらいそこに住むの？

ここは GOOD
下線部（留学）の特徴を問う疑問文が2つあるのはいいね！

君の質問について答えると、ぼくはこれからもっと多くの人が留学すると思うよ。なぜなら、海外に行くのが昔よりかんたんになっていくからだ。

ここは GOOD
相手の質問に対する自分の意見と理由が書けていていいね！

君の周りにも外国留学する人がたくさんいるよね？
→君の友だちも外国留学するようになるといいね。

間違い③ メールにある「Not so many people around me study abroad.（私の周りにはあまり外国で勉強する人がいないの）」と質問内容が反対だ。これでは問題が読めていないと判断されてしまうよ。
ちなみに、最後に質問すること自体は OK だ

Eメール問題　「内容」のアドバイス

1 ▶ 書き始める前に、構成を整えよう

下線部や最後の質問以外の英文をしっかり読んでから、2つの質問を作ったり、質問に答えたりしないと、相手のメールの内容と重なることがあるので、まずはメールの内容をしっかり読んで、理解しよう。

2 ▶ 2つの質問に使える What と How の表現

1	What kind of ～ is it?	それはどんな種類の～ですか？
2	What color is it?	それはどんな色ですか？
3	How big (heavy) is it?	それはどのくらいの大きさ（重さ）ですか？
4	How much is it?	それはいくらするの？
5	How long does it take?	それはどのくらい時間がかかるの？

STEP2 Eメール問題　語彙のポイント

●語彙の予想評価ポイント

課題にふさわしい語彙を正しく使えているか

▶「語彙」で予想される評価項目です。

☑	スペルミスがほとんどない。
☑	5級レベルの語彙（want, think など）が適切に使用されている。
☑	4級レベルの語彙（people, often など）が適切に使用されている。
☑	3級レベルの語彙（example, better など）が適切に使用されている。

> 各級の語彙問題で出題されるレベルの語彙が書けるかがポイントだ

●書くときの注意点

1	スペルミスを減らすために、あせらずに書きましょう。普段の単語を書く練習の成果が問われます。
2	採点する人が読める字で、ていねいに書きましょう。
3	枠の中に書きましょう。枠の外に書くと採点してもらえません。
4	S-CBT でタイピング受験を希望する人は、タイプミスに注意！　スペルミスの自動修正や赤線によるお知らせはありません。

オリジナル予想問題

右ページの英文は、外国人の知り合い（James）から届いた E メールです。それに対する返信メールを考えましょう。ただし、James の E メール文中の下線部について、より理解を深めるために、下線部の特徴を問う具体的な質問を 2 つしましょう。

Hi!

Last week, I got a new smartphone as a birthday present. My old one didn't work well. Last month, when I dropped it, the screen got broken, so I needed a new one. By the way, I was surprised that my younger cousin got his first smartphone. He's only seven years old! I can't believe such a young child needs a smartphone. Do you think more young children will have their own smartphones in the future?

Your friend,

James

間違い探しにチャレンジ

上の問題文の内容をふまえて、以下の解答例の中で、間違いだと思う語彙を探して、4か所に線を引こう。

Hi, James!

Thank you for your e-mail.

You are lacky that you got a new smartphone.

What do you like to do with your new smartphone? Also, what kind of smartphone is it?

About your question, I think more young children will have their own smartphones becouse smartphones are very convinient and usefull.

Their parents want to contact with their children easily with smartphones.

Best wishes,

解答は次のページ

問題文訳

やあ！

先週、誕生日プレゼントに新しいスマホをもらったんだ。古いのがうまく動かなかったんだよ。先月落としたときに画面が割れちゃって、だから、新しいのが必要だったんだ。ところで、僕の幼いいとこが、最初のスマホをもらったって聞いて驚いたよ。彼はわずか7歳だ！ そんな幼い子がスマホを必要だなんて信じられない。君は将来もっと多くの幼い子どもがスマホを持つと思う？

あなたの友だち、ジェームス

You are ~~lacky~~ that you got a new smartphone.
　　　　　lucky

What do you like to do with your new smartphone? Also, what kind of smartphone is it?

About your question, I think more young children will have their own smartphones ~~becouse~~ smartphones are very
　　　　　　　　　　　　　　　　　　because
~~convinient~~ and ~~usefull~~.
convenient　　useful

Their parents want to contact with their children easily with smartphones.

解答例訳

新しいスマホをもらえるなんて君は幸運だね（うらやましいよ）。

君の新しいスマホで何がしたい？ それと、どんな種類のスマホなの？

君の質問については、ぼくはもっと多くの幼い子どもが自分のスマホを持つと思うよ。なぜなら、スマホはとても便利で役に立つからね。

彼らの親たちはスマホでカンタンに自分の子どもたちと連絡が取りたいしね。

Eメール問題　「語彙」のアドバイス

1 スペルミスに気を付けよう

間違い探しで出題した4つのスペルミスは準2級学習者がよくやりがちなものです。

要注意の単語

日本語の発音とスペルが違う	lucky,　because, convenient
Lを重ねるか、重ねないか	useful

スペルと音のつながりのルールについて困っている人は、「フォニックス」について学ぶと理解が深まるよ

2 単語を書く練習をしよう

スペルを覚えるのが苦手な人は、とにかく英単語を書く練習が足りません。ここで得点を落としたくないなら、今から「単語を書く」練習を大切にしましょう。

3 キーフレーズを暗記しよう

ライティングで語彙の点数を上げるのに、便利なキーフレーズです。暗記してぜひ使いましょう！

First,	第一に、	Second,	第二に、
For example	たとえば	So	だから
Because	なぜなら	In addition	加えて
However	しかしながら	In conclusion	結論として

STEP3　Eメール問題　文法のポイント

● 文法の予想評価ポイント

文構造のバリエーションと、それらを正しく使えているか

▶「文法」で予想される評価項目です。

☑	複数の文法を使い分けている。
☑	5級程度の文法（現在形・疑問文など）が適切に使用されている。
☑	4級程度の文法（三人称単数・複数形など）が適切に使用されている。
☑	3級程度の文法（不定詞・比較など）が適切に使用されている。

準2級の長文問題で扱われるような高校レベルのむずかしい文法を無理して使う必要はないよ

● 書くときの注意点

1	中学で習う英文法に気を付けましょう。準2級のライティングでは、中学レベルの復習が大切です。
2	ケアレスミスに注意。三人称単数のsや複数形のsをつけ忘れたり、過去形にするのを忘れたりしないようにしましょう。
3	不定詞や動名詞など便利な文法のパターンを身につけましょう。

オリジナル予想問題

右ページの英文は、外国人の知り合い（Ella）から届いたEメールです。それに対する返信メールを考えましょう。ただし、EllaのEメール文中の下線部について、より理解を深めるために、下線部の特徴を問う具体的な質問を2つしましょう。

START

Hi!
Guess what? Next summer, I'm going to study abroad. My father finally agreed to my plan. I have wanted to stay in France for a long time. I have studied French very hard and had a lot of time to speak in French with my friends and teachers. I'm very excited to make new foreign friends. Not so many people around me study abroad. Do you think more people will study abroad in the future?
Your friend,
Ella

間違い探しにチャレンジ

上の問題文の内容をふまえて、以下の解答例の中で、間違いだと思う文法を探して、4か所に線を引こう。

Hi, Ella!
Thank you for your e-mail.

I'm surprised hearing that! That is fantastic!

Which city are you going to visit? And what long will you stay in the country?

About your question, I think more many people will study abroad in the future because it is very important for all over the world people to have international experience.

When you study abroad, you can learn foreign languages and discover different cultures.

Best wishes,

GOAL

解答は次のページ

問題文訳

P22 の訳と同じため省略

I'm surprised ~~hearing~~ that! That is fantastic!
to hear

I'm surprised (happy / sad) などの後に理由を入れるときは、to do（不定詞）を使う

Which city are you going to visit? And ~~what~~ long will you stay in the country?
how

「どのくらい長く〜?」は How long 〜?が正しい表現だよ。P23の一覧を参考に

About your question, I think ~~more many people~~ will study abroad in the future
more people

「もっと多くの人たち」は問題文にあるように more people が正しい。many の比較級が more になる

because it is very important for ~~all over the world people~~ to have international experience.
people all over the world

「世界中の人たち」は people all over the world が正しい。日本語とは語順が違うから注意

When you study abroad, you can learn foreign languages and discover different cultures.

解答例訳

そのこと（メールの内容）を聞いておどろいたよ。すばらしいね。
どの街に行くの？　どのくらい長くその国に滞在するの？
君の質問については、私はもっと多くの人が将来海外留学すると思う。
なぜなら、世界中の人たちにとって国際経験をすることはとても重要だから。留学したら、外国語が学べて、いろいろな文化を発見できるよ。

START

Eメール問題　「文法」のアドバイス

1 ▶ 一度書いた文の間違い探しをする

語彙と同じように、文法編でも自分の書いた文を見直すことが大事です。今やってみた間違い探し問題のように自分の文法ミスやスペルミスを探してみてください。

考えながら書くとケアレスミスはどうしても起きてしまうんだ。「ミスをしない注意」と同じくらい、「ミスを見つける見直し」も大事だよ

2 とにかく書いてみよう

「英文法が得意」だと思っていても、実は「英文法問題を解く」のが得意なだけで、「正しい英文法で自分の考えを書く」ことは苦手な人もいます。

たくさん演習問題を解いて、英文法のレベルをアップさせるのと同じように、ライティングでは「自分で英文を書く」ことで、得点力が上がっていきます。

ライティング練習をめんどくさいと思う人は、けっこう多いです。でも、書かないことにはライティングの力は身につきません。まずはとにかく書いてみよう！　この後の練習問題にトライ！

レッスン **1** Ｅメール問題① 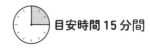 目安時間15分間

実際にライティング問題をやってみましょう。

- あなたは，外国人の知り合い（Nancy）から，Ｅメールで質問を受け取りました。この質問にわかりやすく答える返信メールを，右ページの□に英文で書きなさい。
- あなたが書く返信メールの中で，NancyのＥメール文中の下線部について，あなたがより理解を深めるために，下線部の特徴を問う具体的な質問を2つしなさい。
- あなたが書く返信メールの中で□に書く英文の語数の目安は40語～50語です。
- 解答は，右ページにあるＥメール解答欄に書きなさい。なお，解答欄の外に書かれたものは採点されません。
- 解答がNancyのＥメールに対応していないと判断された場合は，0点と採点されることがあります。NancyのＥメールの内容をよく読んでから答えてください。
- □の下のBest wishes, の後にあなたの名前を書く必要はありません。

Hi!

My friends invited me to a karaoke party last week. It was my first time to sing karaoke with my friends. It was fun to sing aloud together. These days, karaoke machines give you a score when you finish singing. It is interesting to see how well you can sing. I heard the first karaoke machine was invented in Japan. Do you think that karaoke machines will spread around the world in the future?

Your friend,
Nancy

E メール解答欄

Hi, Nancy!
Thank you for your e-mail.

5

10

15

Best wishes,

問題文訳

こんにちは！

私の友だちが先週<u>カラオケパーティー</u>に私を招待してくれたんだ。友だちとカラオケで歌うのは初めてだったの。一緒に大きな声で歌うのは楽しかったな。最近、カラオケの機械が歌い終わった後に、歌の得点を付けてくれるよね。どのくらい上手く歌えたかわかるのはおもしろいね。最初のカラオケの機械は日本で発明されたって聞いたよ。あなたはカラオケの機械は将来世界中に広がると思う？

あなたの友だち、

ナンシー

解答例

I am glad to hear that you joined a fun party.
感想：メールの内容に対しての感想や反応を書く

How many friends joined the party? ← 下線部の1つ目の質問
And what kind of songs did you sing? ← 下線部の2つ目の質問

To answer your question, I think karaoke machines will spread around the world ← 相手の質問に対する自分の意見
because foreign people also love to sing songs.
自分の意見の理由（または説明）

Singing songs is one of the most popular hobbies all over the world. ← 自分の意見に関連する説明

【語数】59 語　※50 語を少しオーバーしても OK。40 語〜50 語は目安です。

アドバイス

とにかく英文を書くこと

実際に英文を書かずに解答例を見るだけで、できるようになった気になっていませんか？ ライティング対策はめんどくさいと感じる人が多く、ついつい後回しになってしまいがちですが、ライティングで点をとるためには、「英文を書くこと」になれるのが大事です。

答えを先に見てしまった人も、次の問題はぜひ実際に書いてみてください

考えてから書き終わるまで、15分以上かかってしまった人も、何回か書いて、Eメールのライティングになれてくれば、書く時間は短くなりますよ。

解答例訳
あなたが楽しいパーティーに参加してうれしいよ。
（楽しいパーティーに参加してよかったね）
そのパーティーには何人の友だちが参加したの？
それと、どんな歌をあなたは歌ったの？
あなたの質問に答えると、カラオケの機械は世界中で広まると思うよ。
だって、外国の人たちも歌を歌うのが好きでしょ。
歌を歌うことは世界中で最も人気のある趣味の一つだよ。

レッスン 2 Eメール問題②

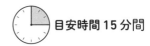 目安時間 15 分間

実際にライティング問題をやってみましょう。

- あなたは，外国人の知り合い（Kevin）から，Eメールで質問を受け取りました。この質問にわかりやすく答える返信メールを，右ページの □ に英文で書きなさい。
- あなたが書く返信メールの中で，Kevin の E メール文中の下線部について，あなたがより理解を深めるために，下線部の特徴を問う具体的な質問を 2 つしなさい。
- あなたが書く返信メールの中で □ に書く英文の語数の目安は 40 語〜 50 語です。
- 解答は，右ページにある E メール解答欄に書きなさい。なお，解答欄の外に書かれたものは採点されません。
- 解答が Kevin の E メールに対応していないと判断された場合は，0 点と採点されることがあります。Kevin の E メールの内容をよく読んでから答えてください。
- □ の下の Best wishes, の後にあなたの名前を書く必要はありません。

Hi!

Guess what? I went to watch a baseball match yesterday. As you know, I'm a big fan of baseball, so I was excited to see the match. There were lots of people in the stadium. It was very exciting to watch a match with a big audience. Sports events are becoming more and more popular, but there are still only a few stadiums in Japan. Do you think more sports stadiums will be built in the future?

Your friend,
Kevin

START

E メール解答欄

Hi, Kevin!
Thank you for your e-mail.

5

10

15

GOAL

Best wishes,

問題文訳

こんにちは！

ねえ、聞いて（何だかわかる？）昨日、<u>野球の試合</u>を見に行ったんだ。知っての通り、ぼくは野球の大ファンなんだ。だから、その試合を見てワクワクしたよ。スタジアムにはたくさんの人がいた。多くの観客と一緒に試合を見るのはとても興奮するものだったよ。スポーツイベントがますます人気になっているけど、まだ日本には少しのスタジアムしかないよね。君は、将来もっとたくさんのスポーツスタジアムが建設されると思う？

君の友だち、

ケビン

解答例

I'm happy to hear that you watched a baseball match.

> 感想：メールの内容に対しての感想や反応を書く

Which teams were playing? ← 下線部の1つ目の質問

Did your favorite team win the game? ← 下線部の2つ目の質問

To answer your question, I think more sports stadiums will be built in Japan ← 相手の質問に対する自分の意見

because I believe more and more people will want to see live sports events in the future. ← 自分の意見の理由（または説明）

【語数】52 語

START

 アドバイス

1 興味がなくても質問しよう

今回の例題では、君が野球に興味がなかったとしても、野球の試合について 2 つ質問しないといけない。君自身が問題のテーマにくわしくなくても OK だ。テーマを知らない人でも作れる、シンプルな質問を書くようにしよう。

2 専門用語を使いすぎないで、正確に書ける英語を使おう

逆にテーマ（今回は野球）にくわしいと、「打率」や「先発投手」など、専門用語を使いたくなるけれど、それを英語で書けるかな？

単語を知っていて、スペルを正確に書ける人はもちろん使ってもいいけれど、自信がないときは、自分が正確に書けるシンプルな英語を使って質問や解答を作ろう。

解答例訳

君が野球の試合を見たと聞いてうれしいよ。
（野球の試合を見てよかったね）
どのチームが対戦していたの？
その試合は君の好きなチームが勝ったの？
君の質問に答えると、
もっと多くのスポーツスタジアムが日本で建てられると思うよ。
だって、ますます多くの人が将来、生でスポーツイベントを見たいと思うようになると信じるから。

GOAL

STEP4　英作文問題　内容のポイント

● 内容の評価ポイント

課題で求められる内容（意見とそれに沿った理由）が含まれているかどうか

▶英作文問題の「内容」で予想される評価項目です。

☑	最初に書いた意見と１つ目の理由（具体例）が合っている。
☑	最初に書いた意見と２つ目の理由（具体例）が合っている。
☑	１つ目の理由（具体例）に、適切な説明がある。
☑	２つ目の理由（具体例）に、適切な説明がある。

● 書くときの注意点

1	意見はあなたのオリジナルである必要はありません。 ありふれた、ありきたりな意見で OK です。
2	あくまであなたの英語力を測るテストです。 あなたの思想や着眼点が問われる感想文とは違います。
3	理由をできるだけ２つ考えます。時間がないときもせめて１つは書きましょう。１つしか書かなくてもある程度の得点はもらえます。

オリジナル予想問題

Do you think it is a good idea for students to learn how to make presentations?

間違い探しにチャレンジ

まずは日本語で考えよう！　間違いだと思うところ３か所に線を引こう

私は学生がプレゼンのやり方を学ぶのは良いことだと

思いません。第一に、私はプレゼンするのが嫌いです。

人前でプレゼンをするのは恥ずかしいのでやりたく

ありません。第二に私はスピーチをするのも嫌いです。

プレゼンは写真とかを使えるので、スピーチよりも恥ず

かしくありません。

解答は次のページ

問題文訳

あなたは学生がプレゼンのやり方を学ぶのは良いアイディアだと思いますか？

私は学生がプレゼンのやり方を学ぶのは良いことだと

思いません。第一に、私はプレゼンするのが嫌いです。

「学生」の話ではなく「私」の話になっている

人前でプレゼンをするのは恥ずかしいのでやりたく

ありません。第二に私はスピーチをするのも嫌いです。

「プレゼン」の話ではなく「スピーチ」の話になっている

プレゼンは写真とかを使えるので、スピーチよりも恥ず

話が「スピーチ」と「プレゼン」の比較になっている

かしくありません。

いくつ気づきましたか？

START

英作文問題 「内容」のアドバイス

1 主語は「私は」ではなく、「学生は」や「人々は」で答える

トピックに対して自分のことを意見として書きたくなりますが、それは求められていません。

ただ、「一般的な意見」と言われてもむずかしいですよね。そこで、思いついた意見の主語を、「私」から、集団を示す言葉(この場合は「学生」)に変えましょう。そうすれば「一般論」になります。

> 「私はプレゼンをするのが嫌い」×
> ⇒「学生はプレゼンをするのが嫌い」○

実際に「学生」全員がプレゼンを嫌いかどうかは、関係ありません。全国の学生にアンケートを取る必要もなし。あなたの意見でも、主語を「学生」にして一般論として展開しましょう

2 2つ目の理由(具体例)がズレないように注意

2つ目の理由(具体例)は、トピックから離れてしまいがちです。考えている間に、今回のようにどうしても飛躍してしまうことがあります。

最初に1つ目の理由(具体例)と2つ目の理由(具体例)を考えて、メモを取るようにしましょう。そうすれば、トピックからはずれていないか確認できますよ。

GOAL

STEP5 英作文問題 構成のポイント

● 構成の評価ポイント

英文の構成や流れがわかりやすく論理的であるか

▶英作文問題の「構成」で予想される評価項目です。

☑	「トピックへの意見➡理由（具体例）①➡理由（具体例）②」の流れで書けている。
☑	最初の「意見」と「理由（具体例）①」「理由（具体例）②」が同じ立場で主張は変わっていない。
☑	First, Second, In addition のような「つなぎ言葉」が正しく使われている。
☑	理由か具体例が2つ以上書かれている。
☑	それぞれの理由か具体例を説明する文がある。

● 書くときの注意点

1	まず「賛成」「反対」のどちらの立場にするのか考えます。どちらでも良いのでトピックに対して一方の立場をつらぬきましょう。
2	英語のライティングの構成を守りましょう。 日本語の起承転結ではなく、以下の順番で書きましょう。 　意見 ⇒ 理由（具体例）① ⇒ 理由（具体例）②

START

Do you think it is a good idea for students to learn how to make presentations?

間違い探しにチャレンジ
まずは日本語で考えよう！　間違いだと思うところ2か所に線を引こう

私は学生がプレゼンのやり方を学ぶのは良いことだと

思います。第一に、学生はこのスキルが必要ないです。

今、多くの働いている人が彼らの仕事でプレゼンをしな

ければなりません。もし学生がそのスキルを持っている

なら、役に立つことでしょう。第二にそれは何かについ

て説明する良いチャンスです。説明するよりも暗記する

ことの方が大切です。

解答は次のページ

GOAL

問題文訳

あなたは学生がプレゼンのやり方を学ぶのは良いアイディアだと思いますか?

私は学生がプレゼンのやり方を学ぶのは良いことだと

思います。第一に、学生はこのスキルが必要ないです。

> 最初の意見の理由として逆のことを言っています。
> たとえば、「学生はこのスキルが必要です」と書きましょう

今、多くの働いている人が彼らの仕事でプレゼンをしな

ければなりません。もし学生がそのスキルを持っている

なら、役に立つことでしょう。第二にそれは何かについ

て説明する良いチャンスです。説明するよりも暗記する

ことの方が大切です。

> 2つ目の理由の説明として、「説明す
> ることの大切さ」を書くべきです。た
> とえば、「説明することは暗記すること
> と同じくらい大切です」と書きましょう

START

英作文問題 「構成」のアドバイス

1　書き始める前に、構成を整えよう

アイディアを思いついたら、ついついあせってすぐに書きだしたくなりますが、一度落ち着いて、全体の構成を頭の中で作ったり、メモを書いたりして、整えましょう。

| 意見 |「プレゼンを学ぶのは良い（賛成）」

| 理由（具体例）① |「将来、働くときに役に立つ」

| 理由（具体例）② |「説明することは暗記することと同じくらい大事」

この順番で論理的に書こう

2　立場を最後まで変えないようにしよう

「プレゼンのやり方を学ぶことは学生にとって良い」という立場を決めたら、たとえ思い付いても「悪い点」や「デメリット」は書かずに、ひたすら「良い点」と「メリット」を説明しましょう。途中で立場を変えてはいけません。

3　練習のときに単語数を数えて感覚をつかもう

テスト当日は時間との勝負です。単語数を数えているひまはありません。練習の段階でどれくらい書けば50単語になるのか、数えて確認しておきましょう。

ここのアドバイス通りに「最初の意見」「理由か具体例①とその説明」「理由か具体例②とその説明」を書いたら、50〜60語に収まるはずです。

必ず50〜60語に収める必要はありません。少し足りなかったり、少しオーバーしたりしても大丈夫です

STEP6 英作文問題 語彙・文法のポイント

● 語彙の評価ポイント

語彙の評価ポイントはEメール問題とほぼ同じ。英作文でも間違い探しをしてみよう

オリジナル予想問題

Do you think there should be more classes about technology at school?

間違い探しにチャレンジ

以下の解答例には、スペルのミスが 5 か所あります。間違いだと思うところに線を引こう

No, I don't. I have two reesons.

First, we still have enogh classes to learn infomation technology and programming.

Second, it is important to learn many other sabjects in order to use science and technology well.

The more knowlege we have, the better we will be able to use new technologies in the right way.

解答は 50 ページ ▶

● 文法の評価ポイント

文法の評価ポイントは、E メール問題とほぼ同じだけれど、使用できる文法レベルが少し上がるよ

オリジナル予想問題

Do you think it is a good idea for students to learn how to make a presentation?

間違い探しにチャレンジ

以下の解答例には、文法のミスが 5 つあります。間違いだと思うところに線を引こう

I think it is a good idea for students to learn how to make a presentation.

First, students needs this skill in the future.

Now many worker must make their presentation in their business.

If students have the skill, it will is useful.

Second, it is a good chance explain something.

To explain is important as to remember.

解答は 51 ページ

解答

問題文訳

あなたは学校でもっとたくさんのテクノロジー（技術）の授業があるべきだと思いますか？

No, I don't. I have two ~~reesons~~.
　　　　　　　　　　　　reasons

First, we still have ~~enogh~~ classes to learn ~~infomation~~
　　　　　　　　　enough　　　　　　　information

technology and programming.

Second, it is important to learn many other ~~sabjects~~ in order
to use science and technology well. 　　　　　　　subjects

The more ~~knowlege~~ we have, the better we will be able to use
　　　　　knowledge

new technologies in the right way.

いくつ気づきましたか？
カタカナ発音と異なるスペルに気をつけてね

解答例訳

いいえ、思いません。理由は2つあります。

1つ目に、すでに十分情報技術やプログラミングを学ぶ授業があります。

2つ目に、科学やテクノロジー（技術）をうまく使うために、他のたくさんの教科を学ぶことが大切です。

たくさんの知識があればあるほど、正しい方法で新しいテクノロジー（技術）をよりうまく使うことができるでしょう。

解答

問題文訳

あなたは学生がプレゼンの作り方を学ぶのは良いアイディアだと思いますか？

I think it is a good idea for students to learn how to make a presentation.

First, students ~~needs~~ this skill in the future.
need

students が複数なので need に s は必要なし

Now many ~~worker~~ must make their presentation in their business.
workers

前が many なので、worker には複数形の s を付ける

助動詞 will の後は、is ではなく原形の be にする

If students have the skill, it will ~~is~~ useful.
be

Second, it is a good chance ~~explain~~ something.
to explain

「何かを説明することは良いチャンスだ」とするには explain を to 不定詞の to explain にする

To explain is ~~important as~~ to remember.
as important as

「同じくらい重要だ」とするには important の前にも as が必要

解答例訳

私は学生がプレゼンの作り方を学ぶのは良いアイディアだと思います。
まず、このスキル（技術）は学生たちにとって将来必要なものです。
今では、多くの働く人が仕事でプレゼンを作らなければなりません。
もし学生がそのスキル（技術）を持っていたら、役に立つでしょう。
次に、何かについて説明する良い機会になります。
説明することは暗記することと同じくらい大切です。

レッスン **3** 英作文問題①

 **目安時間 20 分**

実際にライティング問題をやってみましょう。

- あなたは，外国人の友だちから以下の **QUESTION** をされました。
- **QUESTION** について，あなたの意見とその理由を 2 つ英文で書きなさい。
- 語数の目安は 50 語〜 60 語です。
- 解答は，右側にある英作文解答欄に書きなさい。
  なお，解答欄の外に書かれたものは採点されません。
- 解答が **QUESTION** に対応していないと判断された場合は，0 点と採点されることがあります。**QUESTION** をよく読んでから答えてください。

QUESTION
Which do you think is better for people, paper books or electronic books?

英作文解答欄

5

10

15

レッスン **3**

Which do you think is better for people, paper books or electronic books?

問題文訳

紙の本と電子書籍とではどちらが人々にとって良いと思いますか?

解答例

I think electronic books are better for people than paper books.

> 意見：自分の意見を示す（または賛成・反対をハッキリさせる）

I have two reasons why I think so.

First, people can carry many electronic books on their smartphones.

> 1つ目の理由「スマートフォンで多くの電子書籍を持ち運べる」

That is very convenient. People can read them anywhere.

> 1つ目の理由の具体例・補足

Second, people don't need to use any space to keep electronic books.

> 2つ目の理由「電子書籍は保管する場所が必要ない」

If people want to keep one hundred paper books, they need a large shelf. But they don't need it for electronic books.

> 2つ目の理由の具体例・補足

【語数】72 語

※語数は 60 語をオーバーしても問題ありません。
　50 ～ 60 語はあくまで目安です。

アドバイス

意見は君の本心でなくても OK

英作文が苦手な人の中には、問題について真剣に考えすぎて、きちんとした意見を書こうとする人がいます。しかし、「英検」は英語の試験です。英語さえきちんと書かれていれば問題ありません。あなたの本心でなくてもいいので、知っている単語で書ける意見を書きましょう。

 英語で意見と2つの理由が書かれていれば、中身はこじつけでも作り話でもかまいません

考えてから書き終わるまで、20分以上かかってしまった人も、何回か書いて、英作文問題のライティングになれてくれば、書く時間は短くなります。

解答例訳

私は紙の本よりも電子書籍の方が人々にとって良いと思います。

私がそう考える理由が2つあります。

第一に、人々はスマートフォンで多くの電子書籍を持ち歩けます。

それはとても便利です。人々はそれらをどこでも読むことができます。

第二に、人々にとって電子書籍を保管する場所が必要ありません。

もし人々が100冊の紙の本を持ちたいなら、大きな棚が必要です。しかし、電子書籍のために棚は必要ありません。

レッスン 4 　英作文問題②

 目安時間 20 分

実際にライティング問題をやってみましょう。

- あなたは，外国人の友だちから以下の QUESTION をされました。
- QUESTION について，あなたの意見とその理由を 2 つ英文で書きなさい。
- 語数の目安は 50 語〜 60 語です。
- 解答は，右側にある英作文解答欄に書きなさい。
  なお，解答欄の外に書かれたものは採点されません。
- 解答が QUESTION に対応していないと判断された場合は，0 点と採点されることがあります。QUESTION をよく読んでから答えてください。

QUESTION

Do you think there should be more parks in cities?

START

英作文解答欄

5

10

15

GOAL

レッスン **4**

Do you think there should be more parks in cities?

問題文訳

都市にもっと公園があるべきだと思いますか?

解答例

Yes, I think so. I have two reasons.

意見：自分の立場を示す（肯定・否定を明確にする）

First, if there are more parks in cities, more people can enjoy spending time there, especially families with children.

1つ目の理由「もっと多くの公園があれば、多くの人々、特に子連れの家族が楽しめる」

Second, in parks, people can feel relaxed and enjoy walking.

2つ目の理由「公園では、人々がリラックスし、散歩が楽しめる」

That is good for their health. Not only children but also elderly people can be healthier if they can spend more time in parks.

2つ目の理由の具体例・補足

【語数】61 語

 アドバイス

英語で書けることにしぼって書こう

このようなお題が出ると、ついむずかしい内容や専門用語を日本語で思いつくかもしれません。ただ、それを英語にできなくて苦しむ人もいるでしょう。

解答例を見てもらうとわかるように、たいしたことは書いていませんよね。ありきたりの意見でいいので、「自分の知っている英語で書けること」にしぼって書くことが大切です。

 問われているのは英語力です。専門的な意見や、するどいアイディアは必要とされていません

準2級の語彙力で書ける内容には限界があります。「当たり前」のことでいいので、英語で意見を書けるようにしましょう。

解答例訳

はい，私はそう思います。2つ理由があります。

第一に，もし都市にもっと公園があれば，より多くの人たち，特に子連れの家族が，そこですごして楽しめます。

第二に，公園では，人々はリラックスしたり，散歩を楽しんだりすることができます。それは彼らの健康にとって良いことです。もし公園でより長い時間をすごすことができるなら，子どもたちだけでなく，高齢者の方たちもより健康になれます。

第2章

リーディング

READING

リーディング　心得

英検 準2級

1　はじめに

リーディングは、なんといっても語彙力がいちばん大切です。準2級で必要な約3500語は、高校1・2年生までに習う単語数とほぼ同じです。3級と比べると、なんと1500語も増えています。

> 3級で出てくる単語数　　：**約2000語**
> 準2級で出てくる単語数：**約3500語**
> 1500語増える！

試験時間はリーディングとライティングで80分間。目安は、ライティング35分間＋リーディング45分間です。このリーディングでは45分間で大量の問題を解く「スピード」と、45分間も英語を読み続ける「集中力」が求められます。

2　パート1　短文の空所補充（約15問）

単語問題	約10問
熟語問題	約　5問

いちばん語彙力が求められるパートです。4択とはいえ運任せでは点が取れません。まずは、選択肢のうち2つか3つはわかるように、暗記を頑張りましょう

単語問題は名詞と動詞が中心。形容詞と副詞も少し出ます。
熟語問題は約5問出ます。この熟語の多さが準2級の特徴で、このパート1を攻略するカギです。
ちなみに文法問題は2024年の試験リニューアルで出題されなくなりました。

3　パート2　会話文の空所補充（約5問）

このパートは、会話表現の知識が求められます。

AさんとBさんの対話の流れを読み取り、適切な語句を選びましょう。ポイントは（　）の後ろに続く文まで読むことです。

4　パート3　長文の語句空所補充（約2問）

パート2と同様に、（　）の後ろに続く文章まで読むのがポイントです。前後の文の流れを理解し、適切な語句を選びましょう。

5　パート4　長文の内容一致選択（約7問）

長文読解は配点が高いのが特徴です。かつて配点が公表されていた頃は、パート4は他のパートの2倍の配点でした。現在は非公表ですが、2倍近い配点だと予想されます。その分、長くてむずかしい文章が出されます。

ふだんの授業や自習、習い事などで、どれだけ英文を読みなれているかが問われます。

この問題集は「やればやるほど語彙力が身につく」仕組みになっています。
解き終わる頃には語彙力が大幅にアップしているはずです

レッスン 1 　名詞・形容詞　よく出る単語 60

このページを覚えてから問題を解こう。上級者ならこのページを見ずに解こう。

01

英語	品詞	意味	英語	品詞	意味
advantage	名	利点	decision	名	決定
article	名	記事	degree	名	学位, 度（単位）
attention	名	注意	delay	名	遅れ
attitude	名	態度	delicate	形	繊細な
available	形	利用できる	emotional	形	感情的な
aware	形	気づいている	equal	形	等しい
behavior	名	ふるまい, 行儀	familiar	形	よく知っている
business	名	商売, ビジネス	fantastic	形	すばらしい
central	形	中央にある, 中心の	fashionable	形	流行の
climate	名	気候	general	形	一般的な
concerned	形	心配そうな	gentleman	名	紳士
conversation	名	会話	guilty	形	有罪の
custom	名	（社会的）慣習	ideal	形	理想的な
dead	形	死んでいる	impossible	形	不可能な

START

impression	名	印象	regular	形	規則正しい, 通常の
international	形	国際的な	responsible	形	責任がある
issue	名	問題	result	名	結果
knowledge	名	知識	seed	名	タネ, 種子
lecture	名	講義	shame	名	恥ずかしさ, 残念なこと
matter	名	問題, 物質	shocked	形	ショックを受けた
messy	形	ちらかった	similar	形	似ている
method	名	方法	species	名	(動植物の)種
noisy	形	騒がしい, うるさい	storm	名	嵐
opportunity	名	機会	subject	名	テーマ, 主題, 件名
origin	名	起源	suitable	形	適した
peaceful	形	穏やかな, 平和な	surprising	形	驚かせるような
polite	形	礼儀正しい	typical	形	典型的な
precise	形	正確な	unknown	形	未知の
purpose	名	目的	upset	形	取り乱して
rainforest	名	熱帯雨林	valuable	形	価値のある

GOAL

レッスン 1 名詞・形容詞

次の(1)～(8)までの（　　　）に入れるのに最も適切なものを1，2，3，4の中から1つ選び，その番号を○で囲みなさい。

❶ The（　　　）of the exam was so bad that she didn't show it to her parents.

① knowledge **②** purpose

③ result **④** degree

❷ A: Ken, can you explain the difference between a temple and a shrine? They look quite（　　　）to each other.

B: Sure, Peter. Please look at these photos.

① familiar **②** emotional

③ similar **④** international

❸ I had my bag stolen in the shopping mall yesterday, but luckily, nothing（　　　）was in it.

① valuable **②** shocked

③ surprising **④** fantastic

❹ After the big storm which hit a large area yesterday, there are many （　　　）on the damage from it in today's newspapers.

① rainforests **②** behaviors

③ impressions **④** articles

START

5 Mr. Keith is a (　　　) English gentleman: he never fails to talk about the weather at the beginning of a conversation.

1 fashionable　　　2 noisy

3 typical　　　4 central

6 A : Honey, I've decided to take a gardening course.

B : Well, you'll have no (　　　) to show your new gardening skills. I'll move to the new office in the middle of the Sahara Desert in two months.

1 opportunities　　　2 customs

3 lectures　　　4 climate

7 A : Larissa, can you put away all those clothes on the floor? It's (　　　) here in this room.

B : Sorry, but I've just moved in and have nothing to put them in.

1 unknown　　　2 aware

3 messy　　　4 suitable

8 Honestly, I don't want to work here at all. It's just not my (　　　) job. I only chose the job just because it was the least bad of all my options.

1 guilty　　　2 responsible

3 ideal　　　4 regular

4択の英単語の意味が全部わかるレベルに到達するには、かなり時間がかかります。まずは4つのうち、2つか3つはわかるようになること。選択肢をしぼることができるのも立派な語彙力です

GOAL

067

レッスン **1**

① The (result) of the exam was so bad [that she didn't show it to her parents].

テストの結果があまりに悪かったので，彼女はそれを両親に見せなかった。

❶ knowledge　知識　　　　❷ purpose　目的

❸ result　結果　　　　　　❹ degree　学位

② A: Ken, can you explain the difference between a temple and a shrine? They look quite (similar) to each other.

ケン，お寺と神社の違いを説明してくれる？　その2つはお互いにとてもよく似ているように見えるんだ。

B: Sure, Peter. Please look at these photos.

いいよ，ピーター。この写真を見て。

❶ familiar　よく知っている　　❷ emotional　感情的な

❸ similar　似ている　　　　　❹ international　国際的な

③ I had my bag stolen in the shopping mall yesterday, but luckily, nothing (valuable) was in it.

昨日ショッピングモールでバッグを盗まれた。けれど，幸運なことに価値のあるものは何も中に入っていなかった。

❶ valuable　価値のある　　❷ shocked　ショックを受けた

❸ surprising　驚かせるような　❹ fantastic　すばらしい

④ After the big storm [which hit a large area yesterday], there are many (articles) on the damage from it in today's newspapers.

昨日広い地域を襲った大きな嵐の後，今日の新聞にはその損害についてのたくさんの記事が載っている。

❶ rainforests　熱帯雨林　　❷ behaviors　ふるまい，行儀

❸ impressions　印象　　　　❹ articles　記事

START

5 Mr. Keith is a （typical） English gentleman: he never fails to talk about the weather at the beginning of a conversation.

キースさんは典型的な英国紳士だ。つまり，会話の初めには必ず天気の話をするのだ。

① fashionable　流行の　　② noisy　うるさい

❸ typical　典型的な　　④ central　中心の

> never fail to で「～しそこねることはない」＝「必ず～する」

6 A：Honey, I've decided to take a gardening course.

あなた，私，ガーデニング講座を取ることに決めたの。

B：Well, you'll have no （opportunities） [to show your new gardening skills]. I'll move to the new office in the middle of the Sahara Desert in two months.

うーん，新しいガーデニングの技能を見せる機会はないだろうね。ぼくは2か月後にサハラ砂漠の真ん中の新事務所に転勤になるんだ。

❶ opportunities　機会　　② customs　慣習

③ lectures　講義　　④ climate　気候

7 A：Larissa, can you put away all those clothes on the floor? It's （messy） here in this room.

ラリッサ，床の上の服を全部片付けてくれる？ この部屋，ちらかっているわ。

B：Sorry, but I've just moved in and have nothing [to put them in].

ごめんなさい。引っ越してきたばかりで，しまうものがなくて。

① unknown　未知の　　② aware　気付いて

❸ messy　ちらかった　　④ suitable　適した

8 Honestly, I don't want to work here at all. It's just not my （ideal） job. I only chose the job just because it was the least bad of all my options.

正直なところ，全然ここで働きたくないんだ。理想の仕事じゃない。ここを選んだのは，全部の選択肢の中でいちばん悪いものでなかったという理由だけだ。

① guilty　有罪の　　② responsible　責任がある

❸ ideal　理想的な　　④ regular　ふだんの

GOAL

レッスン 2 動詞・副詞 よく出る単語 60

このページを覚えてから問題を解こう。上級者ならこのページを見ずに解こう。

◀)) 02

accidentally	副	偶然に	completely	副	完全に
achieve	動	〜を達成する	confuse	動	〜を困惑させる
actually	副	実際は	contact	動	〜に連絡する
almost	副	ほとんど	currently	副	現在（のところ）
anymore	副	これ以上（〜ない）	decrease	動	減少する
apparently	副	どうやら〜らしい	deliver	動	〜を配達する
apply	動	申し込む	destroy	動	〜を破壊する
attract	動	〜を引きつける	develop	動	〜を開発する
care	動	気にかける	disappoint	動	〜をがっかりさせる
carefully	副	注意深く	else	副	そのほかに
certainly	副	確かに	encourage	動	〜をはげます
choose	動	〜を選ぶ	eventually	副	結局は
compete	動	競争する	exactly	副	正確に
complain	動	不満を言う	exist	動	存在する

START

express	動	～を表現する	probably	副	おそらく, たぶん
fortunately	副	幸運にも	provide	動	～を提供する
gather	動	～を集める	quickly	副	速く, 急いで
gradually	副	だんだんと	quite	副	とても, かなり
happily	副	幸せ(そう)に	receive	動	～を受け取る
hardly	副	ほとんど～ない	recover	動	～を回復する
instead	副	その代わりに	reduce	動	～を削減する
intend	動	intend to do で ～するつもりだ	seldom	副	ほとんど～ない
interestingly	副	面白いことに	sometimes	副	時々
last	動	続く	spread	動	広がる
likely	副	おそらく	succeed	動	成功する
neither	副	…もまた～(し)ない	suddenly	副	突然
notice	動	～に気づく	survive	動	～を切り抜ける
otherwise	副	さもないと	therefore	副	したがって, それゆえ
participate	動	参加する	translate	動	～翻訳する
perhaps	副	たぶん	whisper	動	ささやく

GOAL

レッスン2 動詞・副詞

次の(1)〜(8)までの（　　　）に入れるのに最も適切なものを1，2，3，4の中から1つ選び，その番号を○で囲みなさい。

1 Sometimes two or three companies work together to （　　　） a new technology for their products.
- **1** develop
- **2** reduce
- **3** notice
- **4** express

2 It is so cold that （　　　） Emily nor Bob wants to eat out.
- **1** probably
- **2** therefore
- **3** sometimes
- **4** neither

3 You should live in the dormitory; （　　　）, you'll have to spend four hours on the train each day.
- **1** actually
- **2** anymore
- **3** instead
- **4** otherwise

4 Steve has got a membership to the gym, but he （　　　） comes, because his company has a good recreation center where all the employees can use modern exercise equipment.
- **1** suddenly
- **2** likely
- **3** seldom
- **4** certainly

5 Kelly wanted to know when the groceries she bought this morning would be ( ). She is often away and does not want to miss receiving them.

1 decreased   2 disappointed

3 delivered   4 provided

6 Although I called them again and again, nobody answered. I even left messages, but still nobody called me back. ( ), they were absent.

1 Apparently   2 Eventually

3 Accidentally   4 Currently

7 Rian had ( ) to go fishing, but heavy rain forced him to put his plan off.

1 existed   2 survived

3 intended   4 whispered

8 We have a big problem with climate change. We should ( ) about the future of both our planet and the next generations.

1 complain   2 care

3 recover   4 participate

名詞・動詞・形容詞・副詞などに分かれて出題されます。名詞は複数形、動詞は過去形、特に不規則活用に注意しましょう！

レッスン **2**

1 Sometimes two or three companies work together to (develop) a new technology for their products.

時々2つか3つの会社が，製品のための新技術を開発するために，いっしょに働くこともあります。

- **①** develop ～を開発する
- **②** reduce ～を削減する
- **③** notice ～に気づく
- **④** express ～を表現する

2 It is so cold that (neither) Emily nor Bob wants to eat out.

とても寒くて，エミリーもボブも外食したくない。

- **①** probably おそらく
- **②** therefore したがって
- **③** sometimes 時々
- **④** neither ～もない

> neither A nor B 「AもBも～ない」

3 You should live in the dormitory; (otherwise), you'll have to spend four hours on the train each day.

君は寮に住むべきだ。さもないと，毎日4時間を電車の中で過ごさなければならなくなるよ。

- **①** actually 実際は
- **②** anymore これ以上 (～ない)
- **③** instead その代わりに
- **④** otherwise さもないと

4 Steve has got a membership to the gym, but he (seldom) comes, because his company has a good recreation center [where all the employees can use modern exercise equipment].

スティーブはジムの会員になっているが，会社には全従業員が最新の運動器具を使えるすてきなレクリエーションセンターがあるのでほとんど来ない。

- **①** suddenly 突然
- **②** likely おそらく～だ
- **③** seldom ほとんど～ない
- **④** certainly 確かに

START

5 Kelly wanted to know when the groceries [she bought this morning] would be (delivered). She is often away and does not want to miss receiving them.

ケリーは今朝買った食料品がいつ届く（配達される）のか知りたかった。彼女は留守が多いので、受け取りそこねないようにしたいのだ。

1 decreased 減少した   2 disappointed 〜をがっかりさせた
3 delivered 〜を配達した   4 provided 〜を提供した

6 Although I called them again and again, nobody answered. I even left messages, but still nobody called me back. (Apparently), they were absent.

何度も彼らに電話したが、誰も出なかった。メッセージまで残したのに電話がかかってこなかった。彼らは留守だったらしい。

1 Apparently どうやら〜らしい   2 Eventually 結局は
3 Accidentally 偶然に   4 Currently 現在

7 Rian had (intended) to go fishing, but heavy rain forced him to put his plan off.

force O to do 「O に（むりやり）〜させる」

ライアンは釣りに行くつもりだったが、雨がひどくて延期した。

1 existed 存在した   2 survived 〜を切り抜けた
3 intended 〜するつもりだった   4 whispered ささやいた

8 We have a big problem with climate change. We should (care) about the future of both our planet and the next generations.

私たちは気候変動という大きな問題を抱えている。私たちは地球と次の世代の両方の未来について気にかけるべきだ。

1 complain 不満を言う   2 care 気にかける
3 recover 回復する   4 participate 参加する

GOAL

レッスン 3 熟語 よく出る熟語 60

このページを覚えてから問題を解こう。上級者ならこのページを見ずに解こう。

🔊 03

according to 〜	〜によると	fall asleep	眠り込む
any longer	もはや，これ以上	focus on 〜	〜に焦点をあてる
apply to 〜	〜に申し込む	get along with 〜	〜とうまくやっていく
as a result	結果として	get better	（具合が）良くなる
avoid doing	〜するのを避ける	get in 〜	〜に入る
be absent from 〜	〜を欠席する	get out of 〜	〜をやめる
be accustomed to 〜	〜に慣れた	get over 〜	〜を克服する
be in shape	体調が良い	get ready	準備をする
carry out 〜	〜を実行する	get rid of 〜	〜を放り出す，取り除く
catch up with 〜	〜に追いつく	give 〜 a ride to ...	〜を…まで車で送る
depend on 〜	〜による，〜次第	hand in 〜	〜を提出する
do without 〜	〜なしですます	happen to do	偶然〜する
drop in	立ち寄る	in order to 〜	〜するために
every time	〜するときはいつも	in place of 〜	〜の代わりに

START

in that case	その場合には	put up with ～	～を我慢する
keep an eye on ～	～から目を離さない, 見張る	run after ～	～を追いかける
make a decision	決心する, 決める	run away from ～	～から逃げる
make sense	意味が通じる, 筋が通る	set up ～	～を設立する
make the most of ～	～を最大限に活かす	show off ～	～を見せびらかす
make up for ～	～の埋め合わせをする	show up	姿を現す
make up *one's* mind	決心する	similar to ～	～に似ている
make use of ～	～を利用する	so ～ that ...	とても ～なので…だ
mean to cut ～	～をさぼるつもりだ	stand for ～	～を表す
more than ～	～以上	take a nap	昼寝をする
not fail to *do*	必ず ～する	take care of ～	～の世話をする
on the other hand	一方で	take place	起こる, 行われる
pick up ～	～を迎えに行く	take turns	交代でする
pull off ～	(困難なこと) をうまくやりとげる	too ～ to ...	～すぎて…できない
put down ～	～を書き留める	turn down ～	～を下げる
put on weight	太る	write back	返信する

GOAL

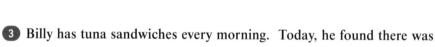

レッスン **3** 熟語

次の(1)～(8)までの（　　　）に入れるのに最も適切なものを1，2，3，4の中から1つ選び，その番号を○で囲みなさい。

1 The graduation ceremony（　　　）at the city hall this year.

1 took place **2** showed up

3 got ready **4** took turns

2 Lisa ate sweets from morning till night just to forget the sad things which happened to her. Then, she（　　　）a few days later as a result.

1 put on weight **2** made up her mind

3 fell asleep **4** ran after it

3 Billy has tuna sandwiches every morning. Today, he found there was no tuna in the refrigerator. He had to（　　　）.

1 carry it out **2** do without it

3 apply to it **4** show it off

4 It is lucky that my best friend has a restaurant: whenever I want to eat out, I just（　　　）at his place without making a reservation.

1 drop in **2** keep an eye on

3 make sense **4** focus on

5 A : Alex, have you (　　　) your essay yet?

B : No, Mr. Kim. Actually, I'm still working on it. Could you still accept it, well, next week?

1 meant to cut　　　2 handed in

3 picked up　　　4 got better

6 Last week, a man killed his neighbor just because she wouldn't (　　　) the TV when he asked her to do so.

1 get over　　　2 put down

3 turn down　　　4 pull off

7 My English class begins early and the teacher gives us lots of homework. I can't (　　　) the class.

1 put up with　　　2 stand for

3 make up for　　　4 get in

8 A student has (　　　) the most of the computer room at his school each day, and he is a computer expert now.

1 made　　　2 run

3 gone　　　4 provided

「単語はなんとか覚えられるけど、熟語は全然覚えられな～い」という人、実はとても多いです。しかし、熟語は英語のとても大切な要素です。見たことがある単語の組み合わせでも、新しい単語と同じだと思って、覚えるのがコツです

START

GOAL

レッスン 3

1 The graduation ceremony (**took place**) at the city hall this year.

今年，卒業式は市役所で<mark>行われた</mark>。

① took place 行われた   **②** showed up 姿を現した

③ got ready 準備ができた   **④** took turns 交代で行った

2 Lisa ate sweets from morning till night just to forget the sad things [which happened to her]. Then, she (**put on weight**) a few days later as a result.

リサは，自分に起こった悲しいできごとを忘れるためだけに，朝から晩まで甘い物を食べた。そして，結果として数日後に彼女は<mark>太った</mark>。

① put on weight 太った   **②** made up her mind 決心した

③ fell asleep 眠り込んだ   **④** ran after it それを追いかけた

3 Billy has tuna sandwiches every morning. Today, he found there was no tuna in the refrigerator. He had to (**do without it**).

ビリーは毎朝ツナサンドを食べる。今日，彼は冷蔵庫にツナがないことに気がついた。彼は<mark>それなしですませ</mark>なければならなかった。

① carry it out それを実行する   **②** do without it それなしですます

③ apply to it それに申し込む   **④** show it off それを見せびらかす

4 It is lucky ⟨that my best friend has a restaurant⟩: whenever I want to eat out, I just (**drop in**) at his place without making a reservation.

親友がレストランを所有しているのはラッキーだ。外食したいと思うときはいつも，予約せずに<mark>立ち寄る</mark>だけでよいのだ。

① drop in 立ち寄る   **②** keep an eye on ～を見張る

③ make sense 筋が通る   **④** focus on ～に焦点をあてる

5 A：Alex, have you (handed in) your essay yet?

アレックス、小論文はもう提出したかい？

B：No, Mr. Kim. Actually, I'm still working on it. Could you still accept it, well, next week?

いいえ、キム先生。実はまだ書いているところなんです。ええと、来週でも受け取ってもらえますか？

① meant to cut 〜をさぼるつもりだった ❷ handed in 〜を提出した
③ picked up 〜を迎えに行った ④ got better 良くなった

6 Last week, a man killed his neighbor just because she wouldn't (turn down) the TV when he asked her to do so.

先週ある男性が、近所の人を殺害した。理由は、彼がテレビの音量を下げるよう頼んだときに彼女がそうしなかったということだけだ。

① get over 〜を克服する ② put down 〜を書き留める
❸ turn down 〜を下げる ④ pull off 〜をうまくやりとげる

7 My English class begins early and the teacher gives us lots of homework. I can't (put up with) the class.

私の英語の授業は早く始まるし、先生は宿題をたくさん出してくる。私はその授業には我慢できない。

❶ put up with 〜を我慢する ② stand for 〜を表す
③ make up for 〜の埋め合わせをする ④ get in 〜に入る

8 A student has (made) the most of the computer room at his school each day, and he is a computer expert now.

ある学生は学校のコンピュータ室を毎日最大限に利用して、今ではコンピュータの専門家になった。

❶ made 〜を作った ② run 走った
③ gone 行った ④ provided を提供した

make the most of 〜 で「〜を最大限に利用する」

レッスン 4 会話表現 覚える表現 30

このページを覚えてから問題を解こう。上級者ならこのページを見ずに解こう。

🔊
04

Can I try 〜 on?	〜を試着してもいいですか？
Go ahead.	どうぞ，続けてください。
guess what	あのね，ねえ聞いて
Hold on.	電話を切らずに待って。
How come?	どうして？
How do you feel?	具合はどうですか？
How may I help you?	どのようなご用件でしょうか？
I am taking a shower.	シャワーを浴びています。
I have a stomachache.	おなかが痛いです。
I hope not.	そうでないといいです。
I hope so.	そうだといいです。
I need to catch up with 〜.	〜に追いつく必要があります。
I'll be available after 〜.	〜の後なら時間が取れます。
I'll help you for sure.	必ずお手伝いします。

START

I'm afraid 〜 .	残念ながら 〜のように思います。
I'm glad 〜 .	〜してうれしいです。
I'm looking for 〜 .	〜を探しています。
Is something the matter?	どうしましたか?
It is a bit too 〜 .	少し 〜すぎます。
It might be 〜 .	〜かもしれません。
Just a minute.	少し待ってください。
May I ask you a favor?	お願いがあるのですが。
Me, neither.	私も 〜ない。
Of course.	もちろん。
pick 〜 up at ...	〜を…に迎えに行く
Some other time.	また別のときに。
Take it easy.	気楽にやってください。
That's perfect for me.	私にはちょうどいいです。
What do you say to doing 〜 ?	〜するのはどうですか?
Why don't you / we 〜 ?	〜するのはどうですか?

GOAL

レッスン 4 会話表現

次の(1)から(5)までの会話について，（　　　）に入れるのに最も適切
なものを１，２，３，４の中から１つ選び，その番号を○で囲みなさい。

1 A : Hi, Henry. What do you say to getting together sometime?

B : Good idea. Shall we meet this weekend?

A : I'd love to, but I have to work this weekend. Actually, I'll be busy
all this month. What about next month?

B : (　　　　) Maybe some other time. Thanks for calling, anyway.

1 That's perfect for me.　　　　**2** I can't work this month.

3 You can come over to my office.　　**4** I'll be very busy next month.

2 A : Excuse me, can I try these jackets on?

B : Of course. (　　　　)

A : Oh, and I like this one very much, but it is a bit large. Do you
have a smaller size in the same color?

B : Let me check for you, ma'am.

1 I'm glad you like it.　　　　**2** The fitting room is over there.

3 How may I help you?　　　　**4** Take it easy.

3 A : Honey, are you ready to go to the concert?

B : Just a minute. I can't find the tickets. Did you see them today?

A : No. When did you see them last?

B : Last night, when (　　　　). Oh, they might be on the table in the
living room.

1 you asked me to reserve the tickets

2 we talked about the concert over coffee

3 I was taking a shower

4 I came back from the concert

START

4 A：Mickey, you look tired. Is something the matter?

B：I need to take care of the new club members. That takes so much time that I don't have enough time to do other things.

A：Then, in two months（　　　）and you'll have more time.

B：Because they won't need so much help? It makes sense.

1 the new members will have learned a lot

2 the new members will need more help

3 your club will be closed

4 you'll have to do more for them

5 A：Do you know how to use this printer?

B：No, I don't. I was accustomed to the old machine, but I really don't know how to handle this new one.

A：Me, neither. Why don't we ask Linda to show us how it works? She won't be too busy today.

B：（　　　）She is the only person we can rely on.

1 I hope so.

2 I hope not.

3 I'm afraid not.

4 Either will do.

このパートでは、さまざまな会話表現の知識が求められます。解答のポイントは（　）の後ろに続く文（相手の返答など）まできちんと読むことです

GOAL

レッスン **4**

1 A : Hi, Henry. What do you say to getting together sometime?
やあ、ヘンリー。 いつか集まるのはどう?

B : Good idea. Shall we meet this weekend?
いいね。 今週末に会わない?

A : I'd love to, but I have to work this weekend. Actually, I'll be busy
ぜひそうしたいけど、今週末は働かないといけないんだ。 実は、今月はずっと忙しく
all this month. What about next month?
なりそうなんだよ。 来月はどう?

B : (**I'll be very busy next month.**) Maybe some other time. Thanks
ぼくは来月がとても忙しいんだ。 たぶん、また別のときだね。
for calling, anyway.
とにかく、電話をありがとう。

1 That's perfect for me. ぼくにはそれがちょうどいい。

2 I can't work this month. 今月は働けない。

3 You can come over to my office. ぼくの会社に来てもいいよ。

4 I'll be very busy next month. ぼくは来月がとても忙しい。

2 A : Excuse me, can I try these jackets on?
すみません。これらのジャケットを試着していいですか?

B : Of course. (**The fitting room is over there.**)
もちろんです。 試着室はあちらです。

A : Oh, and I like this one very much, but it is a bit large. Do you
ああ、これがとても気に入ったのですが、少し大きいです。
have a smaller size in the same color?
同じ色でもっと小さいサイズがありますか?

B : Let me check for you, ma'am. 確認させてください、奥さま。

1 I'm glad you like it. それを気に入っていただけてうれしいです。

2 The fitting room is over there. 試着室はあちらです。

3 How may I help you? どのようなご用件でしょうか?

4 Take it easy. 気楽にやってください。

3 A : Honey, are you ready to go to the concert?
あなた、コンサートへ行く準備はできた?

B : Just a minute. I can't find the tickets. Did you see them today?
ちょっと待って。 チケットが見当たらない。 今日それら(=チケット)を見た?

A : No. When did you see them last?
いいえ。それら(=チケット)を最後に見たのはいつなの?

B : Last night, when (**we talked about the concert over coffee**). Oh,
昨夜、コーヒーを飲みながらコンサートの話をしたときだよ。
they might be on the table in the living room.
ああ、リビングのテーブルの上にあるかも。

1 you asked me to reserve the tickets 君がぼくに予約するよう頼んだ

2 we talked about the concert over coffee コーヒーを飲みながらコンサートの話をした

3 I was taking a shower ぼくがシャワーを浴びていた

4 I came back from the concert ぼくがコンサートから戻った

4 A : Mickey, you look tired. Is something the matter?
ミッキー、疲れているようね。　　どうしたの？（＝何か問題があるの？）

B : I need to take care of the new club members. That takes so much
新入部員の世話をしなければならないんだ。　　　　　すごく時間を取られて
time that I don't have enough time [to do other things].
他のことをする時間が十分にないよ。

A : Then, in two months (the new members will have learned a lot)
それなら、2か月後には新入部員が多くを学んでいて
and you'll have more time.
あなたにもっと時間ができるでしょう。

B : Because they won't need so much help? It makes sense.
彼ら（＝新入部員）はそんなに助けを必要としないだろうから？ 理にかなってる（確かにそうだ）。

1 the new members will have learned a lot 新入部員は多くを学んでいるだろう

2 the new members will need more help 新入部員はもっと助けが必要だろう

3 your club will be closed 部が閉鎖されるだろう

4 you'll have to do more for them
彼らのためにもっと多くのことをしなければならないだろう

5 A : Do you know how to use this printer?
このプリンターの使い方知ってる？

B : No, I don't. I was accustomed to the old machine, but I really
いや、知らない。　古い機械にはなれていたけど、
don't know how to handle this new one.
この新しい機械はどう扱っていいのかまったくわからない。

A : Me, neither. Why don't we ask Linda to show us how it works?
私もわからないよ。　リンダに使い方を教えてくれるよう頼まない？
She won't be too busy today.
彼女は今日忙しすぎるということはないでしょう。

B : (I hope not.) She is the only person [we can rely on].
忙しくないといいな。彼女しか頼れる人がいないから。

1 I hope so. そう（＝忙しい）だといいな。

2 I hope not. 忙しくないといいな。

3 I'm afraid not. 残念ながら忙しくないと思う。

4 Either will do. どちらかがやるだろう。

レッスン 5 長文 よく出る単語・表現 30

このページを覚えてから問題を解こう。上級者ならこのページを見ずに解こう。

🔊
05

a short while	熟	しばらくの間
although	接	けれども
ancient	形	古代の
application form	名	申込用紙
at a time	熟	一度に
besides	副	そのうえ，さらに
brain	名	脳
calm	形	冷静な
ceremony	名	セレモニー，式典
character	名	性格，特徴
disappear	動	消える
document	名	書類
due to 〜	熟	〜のために，〜が原因で
even 〜	副	〜でさえ

START

in fact	熟	実際に
in spite of ～	熟	～にもかかわらず
in this way	熟	このようにして
insect	名	虫, 昆虫
look forward to ～	熟	～を楽しみに待つ
look like ～	熟	～に見える, ～そうだ
nobody	名	誰も～ない
not only ～ but also ...	熟	～だけでなく…も
quality	名	質
rather	副	むしろ
suffer from ～	熟	～で苦しむ
switch	動	変更する
Thank you for ～ .	熟	～してくれてありがとうございます。
the globe	名	地球
treat	動	～を治療する
various	形	さまざまな

レッスン 5 長文（穴埋め問題）

次の英文を読み，その文意にそって(1)～(3)までの（　　　）に入れるのに最も適切なものを 1，2，3，4 の中から 1 つ選び，その番号を○で囲みなさい。

Animals and Sleep

Sleep is very important for humans. Nobody can live without sleeping at all. In fact, most kinds of animals around humans—dogs, cats, elephants, birds and even insects—sleep to live. Some animal species sleep only for a short while at a time, or even look like they don't sleep at all. However, they cannot live without sleeping.

The quality of sleep during the night influences ❶ (　　　). If people don't sleep well, their body and brain will not work properly till they get enough sleep again.

When people have lots of things to do, they might regard sleeping as a waste of time. Some of them may want to go on working ❷ (　　　). Unfortunately, not only their brain but also their body needs to rest regularly. Their body parts need to stop or slow down their movement from time to time. For example, muscles need to rest and get rid of some heat to keep their body temperature from rising too much. Without rest, bones will no longer be able to support the heavy weight of the body one day.

In spite of the important role of sleep, some animal species cannot take it as much as others. For instance, wild horses have so many enemies in their environment that they **3** (　　　) more than other animals do. So they cannot sleep long. Some birds which travel long distances are known to sleep while flying. While a bird does this, half of its brain sleeps and one eye is closed. Birds often fall while sleeping, and just before touching the ground or water, they wake up and fly up again.

So, good sleep is needed for everyone on the globe!

1　1 where to sleep
　　　2 the next day's performance
　　　3 the wild animals
　　　4 the quantity of sleep

2　1 like a horse
　　　2 without sleeping at all
　　　3 anywhere they want
　　　4 with a strong body

3　1 are able to sleep
　　　2 should eat grass
　　　3 have to take rests
　　　4 need to watch out

この問題では話の流れが大切です。すべての文章が理解できなくても、話の流れをつかめれば、（　）の中に入る選択肢がしぼれます。（　）の前後だけを読むのではなく、各段落全体に目を通しましょう。（　）の後ろにヒントがあることが多いです

GOAL

レッスン **5**

Animals and Sleep
動物と睡眠

Sleep is very important for humans.　Nobody can live without
睡眠は人間にとってとても重要だ。　　　　　まったく眠らずに生きられる人はいない。

sleeping at all.　In fact, most kinds of animals around humans—dogs,
　　　　　　　　実際

cats, elephants, birds and even insects—sleep to live.　Some animal
　　　　　　　　　　～でさえ 虫

species sleep only for a short while at a time, or even look like they
種　　　　　　　短い間　　一度に　　　　　～のように見える

don't sleep at all.　However, they cannot live without sleeping.
　　　　　　　　しかしながら　眠らずに生きていけない

　The quality of sleep during the night influences ❶ (the next day's
夜間の睡眠の質は翌日の仕事ぶりに影響を与える。

performance).　If people don't sleep well, their body and brain will not
　　　　　　　　よく眠らなければ,　　　　体と　　　脳はうまく働かない

work properly till they get enough sleep again.
だろう　　　～まで　　十分な

　When people have lots of things to do, they might regard sleeping as
　　　　　　　　　多くの　　　　　　　かもしれない　眠りを時間の

a waste of time. Some of them may want to go on working
無駄だとみなす　全然眠らずに働き続けたいと思う人もいるかもしれない。

❷ (without sleeping at all) . Unfortunately, not only their brain
　　　　　　　　　　　残念なことに　　脳だけでなく、体も

but also their body needs to rest regularly.　Their body parts need to
　　　　　　　　　　　　　休む 定期的に　　　　　→具体例①

stop or slow down their movement from time to time.　For example,
　　　　　　　　　　　　　　時々　　　　　　たとえば

muscles need to rest and get rid of some heat to keep their body
　　　　　　　　　　～を取り除く　　　体温が上昇しすぎないように

temperature from rising too much.　Without rest, bones will no longer
　　　　　　　　　休みがなければ　骨　　もはや～ない

be able to support the heavy weight of the body one day.
　　　　　　　　重い　　体重

START

In spite of the important role of sleep, some animal species cannot
〜にもかかわらず　　　　　　　　役割　　　　　　　　　　　　他の種

take it as much as others. For instance, wild horses have so many
ほどそれ（睡眠）をとれない　　　たとえば　　野生の馬は　　　　　so that 構文

enemies in their environment that they ❸ (need to watch out) more
その環境に非常に敵が多いので　　　　　　他の動物よりも警戒している必要がある

than other animals do. So they cannot sleep long. Some birds which
　　　　　　　　　　　　　　　　　　　　　　　長距離を移動する鳥

travel long distances are known to sleep while flying. While a bird
眠ることで知られている　飛びながら　〜の間

does this, half of its brain sleeps and one eye is closed. Birds often
（＝飛びながら眠る）　　脳

fall while sleeping, and just before touching the ground or water, they
落ちる　　眠っている間に

wake up and fly up again.

So, good sleep is needed for everyone on the globe!
　　　　　　　　　　　　　　　　　地球

① **1** where to sleep
どこで眠るか

❷ the next day's performance
翌日の仕事ぶり

3 the wild animals
野生動物たち

4 the quantity of sleep
睡眠の量

② **1** like a horse
馬のように

❷ without sleeping at all
まったく眠らずに

3 anywhere they want
どこでも好きな場所で

4 with a strong body
強い体で

③ **1** are able to sleep
眠ることができる

2 should eat grass
草を食べるべき

3 have to take rests
休憩しなければならない

❹ need to watch out
警戒している必要がある

GOAL

【訳】動物と睡眠

　人間にとって睡眠は非常に重要だ。まったく眠らずに生きられる人はいない。実際，人間の周りのほとんどの種類の動物は－イヌ，ネコ，ゾウ，鳥，そして昆虫でさえ－生命を維持するために眠る。動物の種の中には，一度に短時間しか眠らなかったり，まったく眠らないように見えたりするものもある。しかし，そんな動物も眠りなしでは生きていけない。

　夜間の睡眠の質は❶（翌日の仕事ぶりに）影響を与える。よく眠らなければ，次に十分な睡眠をとるまでは体も脳もちゃんと機能しないだろう。

　やるべきことがたくさんあるとき，人は眠ることを時間の無駄とみなすかもしれない。❷（全然眠らずに）働き続けたいと思う人もいるかもしれない。不運にも，脳だけでなく体も定期的に休息することが必要だ。体のさまざまな部分が，時々動きを止めたり速度を落としたりする必要がある。たとえば，筋肉は体温が上がりすぎないように，休息して熱を放出する必要がある。休息がなければ，いつか骨は体の大きな重みをそれ以上支えられなくなるだろう。

　睡眠の役割が重要なのにもかかわらず，他の種ほどそれをとれない動物の種もいる。たとえば，野生の馬はその環境に敵が非常に多いので，他の動物より❸（警戒している必要がある）。だから，長く眠れない。長い距離を移動する鳥の中には，飛んでいる最中に眠ることが知られているものもある。鳥がそうするとき，脳の半分が眠り，片目が閉じる。睡眠中に鳥はよく落下して，地面や水面に触れる直前に目を覚まして，再び飛び上がる。

　そう，地球上のすべての者に良い睡眠が必要なのだ！

 記憶の定着にも睡眠が効果的と言われているよ。勉強→睡眠→復習をセットにすると覚えやすくなるんだ

START

GOAL

レッスン **5** 長文（メール）

先に右ページの設
問文から読もう

次のEメールの内容に関して，⑷〜⑹の文を完成させるために最も適切なものを1，2，3，4の中から1つ選び，その番号を○で囲みなさい。

From: Carol Frank
To: Keiko Oka
Date: June 10
Subject: Summer English Course

Dear Keiko,

This is Carol at Deerhill Language School. Thank you for contacting me about our summer courses. Let me give you some general information to answer your questions.

We offer seven summer courses in three skill levels this year. As you wrote, you have studied English for ten years but you are not good at speaking, so I think the *Intermediate Plus Academic Course will probably fit you. If you would rather focus mostly on speaking, the Intermediate Speaking Course would be a good choice. In this course the teacher will have students work on different types of activities including roleplaying, speeches, debates, and presentations. It's especially popular, so only four more places remain. All courses start on July 15, and they last till September 10. All the students can use the library and join various events including concerts we will arrange.

To apply for a course, you should fill out and send the application form to the address below. Two recommendation letters are also required. All documents must arrive by June 30. Don't forget to write which course you want to participate in. It is possible to switch courses after starting.

If you have any further questions, please ask me. We are looking forward to having you with us.

Sincerely,

Carol Frank, Deerhill Language School

Address: xxxxxx

*Intermediate: 中級の

4 Carol wrote this email

1. to her friend to say hello.
2. to someone who contacted her.
3. to her student to answer her question.
4. to her partner to request a recommendation letter.

5 What we know about the Intermediate Speaking Course is that

1. it is the least popular.
2. students mostly work on debates.
3. it lasts for more than two months.
4. its students can use the library.

6 According to the email, we know

1. application forms must be attached to the email.
2. Carol can provide recommendation letters.
3. students may not change courses for any reason.
4. Keiko can ask more questions about their courses.

From: Carol Frank

To: Keiko Oka

Date: June 10

Subject: Summer English Course

Dear Keiko,

This is Carol at Deerhill Language School. ❹Thank you for
わが校の夏期コース
contacting me about our summer courses. Let me give you
についてお問い合わせいただき，ありがとうございました。　ご質問に答えるために，
some general information to answer your questions.
全般的な情報を提供させていただきます。
We offer seven summer courses in three skill levels this year.
　　　提供する　　　　　　　　　　　　3つの技術レベルの
As you wrote, you have studied English for ten years but
あなたが書いたように　　　現在完了の継続 勉強してきた
you are not good at speaking, so I think the Intermediate Plus
　　　話すことが得意ではない
Academic Course will probably fit you. If you would rather
　　　　　　　　　　　おそらく　　あなたにぴったり　　　　　むしろ
focus mostly on speaking, ❺the Intermediate Speaking
主に〜に集中する　　　　　　　　　　　　中級の会話
Course would be a good choice. In this course the teacher will
コースは良い選択でしょう
have students work on different types of activities [including
使役のhave 学生に取り組ませる　　　　　　　　　　　　　〜を含む
roleplaying, speeches, debates, and presentations]. It's

especially popular, so only four more places remain. All
特に　　　　　　　　　残りはたった4席
courses start on July 15, and they last till September 10.
　　　　　　　　　　　　　　　　　〜まで続く
❺All the students can use the library and join various
　　　　　　　　　　　　　　　　　すべての学生は，図書館を
events including concerts [we will arrange].
利用でき，学校が準備するコンサートなどのさまざまなイベントにも参加できます。

To apply for a course, you should fill out and send the
〜に申し込む　　　　　　　　　　　　記入する
application form to the address below.　Two recommendation
申込用紙　　　　　　　　　　下の　　　　　　推薦状
letters are also required.　All documents must arrive by June
必要とする　　　書類
30.　Don't forget to write which course [you want to participate
どのコースに　　　　あなたが参加したいのかを
in].　It is possible ⟨to switch courses after starting⟩.
可能な　　　変える
❻If you have any further questions, please ask me.　We are
他にまだ質問があれば，遠慮なくおたずねください。
looking forward to having you with us.
を楽しみに待つ
Sincerely,

Carol Frank, Deerhill Language School

Address: xxxxxx

4 Carol wrote this email キャロルがこのメールを書いたのは

1 to her friend to say hello.
友人にあいさつするために
2 to someone who contacted her.
彼女に連絡してきた人に
3 to her student to answer her question.
自分の学生の質問に答えるために
4 to her partner to request a recommendation letter.
パートナーに推薦状を依頼するために

5 What we know about the Intermediate Speaking Course is that
中級会話コースについてわかることは
1 it is the least popular.
最も人気がない。
2 students mostly work on debates.
学生は主にディベートに取り組む。
3 it lasts for more than two months.
2か月以上続く。
4 its students can use the library.
その学生は図書館を利用できる。（中級会話コースに限らずすべての学生が利用できる）

6 According to the email, we know
このメールからわかることは
1 application forms must be attached to the email.
申込用紙はメールに添付しなければならない。
2 Carol can provide recommendation letters.
キャロルは推薦状を用意することができる。
3 students may not change courses for any reason.
どのような理由でもコースの変更は許されない。
4 Keiko can ask more questions about their courses.
ケイコはこの夏期コースについて，さらに質問しても良い。

【訳】

差出人：キャロル・フランク
宛先：ケイコ・オカ
日付：6月10日
件名：夏期英語コース

ケイコ様

　ディアヒル語学学校のキャロルです。❹わが校の夏期コースについてお問い合わせいただき，ありがとうございました。ご質問に答えるために，全般的な情報を提供させていただきます。

　本校では今年は3つの技術レベルの7つの夏期コースの準備があります。あなたが書いてくださったように，英語を10年勉強してこられましたが会話が苦手とのことですので，おそらく中級プラスのアカデミックコースがぴったりでしょう。もし会話にむしろ集中なさりたいのでしたら，❺中級の会話コースは良い選択でしょう。このコースでは先生が学生にロールプレイ，スピーチ，ディベート，口頭発表を含むさまざまなタイプの活動に取り組ませるでしょう。これは特に人気があるので，残りはたった4席です。コースはすべて7月15日に始まり，9月10日まで続きます。❺すべての学生は，図書館を利用でき，学校が準備するコンサートなどのさまざまなイベントにも参加できます。

　コースの申し込みには，申込用紙に記入し下記の住所まで送る必要があります。推薦状も2通必要です。書類はすべて6月30日必着です。どのコースに参加したいかの記入もお忘れなく。途中のコース変更も可能です。

　❻他にまだ質問があれば，遠慮なくおたずねください。ご参加を心から楽しみにしています。
敬具
キャロル・フランク，ディアヒル語学学校
住所：xxxxxx

ここでは，まず設問文を読みましょう。4つの選択肢までは読まなくていいので，まず何を聞かれているかの確認をして，メールの本文中の答えを探すようにして読むことが大事です。またメールが誰と誰のやり取りなのか，宛名と差出人を必ず確認します

START

GOAL

レッスン 5 長文 （説明文）

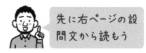

先に右ページの設問文から読もう

次の英文の内容に関して，⑺～⑽までの質問に対する答えとして最も適切なもの，または文を完成させるのに最も適切なものを１，２，３，４の中から１つ選び，その番号を○で囲みなさい。

Banks for Seeds

Some plants have already disappeared, and others may disappear in the future due to reasons such as climate change, diseases, and human activities like wars and pollution. To prevent such losses, organizations called seed banks store plant seeds in secure places.

In the middle of the 19th century, poorer people lived on potatoes in Ireland. At that time, people in Ireland grew only one kind of potato. The potatoes were weak against the same disease, so they disappeared across the country because of a single disease. As a result, more than one million people, 20-25% of the population, died from hunger.

That is a famous example to explain why we need seed banks. When a particular plant disappears in a country, people can ask seed banks to send them seeds of the plant. In fact, the oldest seed bank existed in Babylonia, in today's Iraq around 6800 B.C. Lots of seeds were protected from very hot weather and harmful animals there. The ancient people already realized the importance of keeping seeds for the future.

Now there are more than a thousand seed banks all over the world. These researchers try to keep as many different kinds of plant seeds as possible for the future. They collect many seeds from many parts of the world and keep them in dark, cold rooms. The rooms are

START

protected by strong walls. In this way, the seeds can survive for hundreds of years until they are needed.

7 Seed banks work to
1 protect plant seeds.
2 spread knowledge about plants.
3 treat plant diseases.
4 grow a lot of plants.

8 What is true about Ireland in the mid-19th century?
1 About a fourth of the population ate potatoes.
2 There was no food other than potatoes.
3 People suffered from various diseases.
4 People ate the same kind of potatoes.

9 What did the people in Babylonia know?
1 All plants need a warm climate.
2 Many plants can be grown at one time.
3 Plant seeds must not be lost.
4 There are rare plants in Iraq.

10 What do seed banks do to store seeds?
1 They develop new species of plants.
2 They have places that are hard to break.
3 They keep harmful animals.
4 They ask researchers about the future.

GOAL

レッスン **5**

Banks for Seeds
種子(タネ)のための銀行

Some plants <u>have already disappeared</u>, and others may disappear
　　　　　　すでに消えてしまった
<u>in the future</u> <u>due to</u> <u>reasons such as</u> climate change, diseases, and
将来　　　　〜のために　〜のような理由
human activities like wars and pollution. **7** To prevent such losses,
　　　　　　　　　　　　　　　　　　　このような損失を防ぐために、
organizations called seed banks store plant seeds in secure places.
シードバンクと呼ばれる組織は、　　　　　　　植物の種子を安全な場所に保管している。
　　<u>In the middle of the 19th century</u>, <u>poorer people lived on potatoes</u>
　　　　19世紀半ばは　　　　　　　　　貧しい人々はジャガイモを主食にしていた
in Ireland. **8** At that time, people in Ireland grew only one kind of
　　　　　　　当時、アイルランドの人々は1種類のジャガイモしか栽培していなかった。
potato. The potatoes <u>were weak against</u> the same disease, so <u>they</u>
　　　　　　　　　　　〜に弱い　　　　　　　　　　　　　　　　　(=potatoes)
disappeared <u>across the country</u> <u>because of a single disease</u>. <u>As a</u>
　　　　　　　国中で　　　　　　　1つの病気のために　　　　　
<u>result</u>, more than one million people, 20-25% of the population, <u>died</u>
結果として
<u>from hunger</u>. 飢えで死亡した

　　<u>That</u> is a famous example [to explain why we need seed banks].
　　(前段落の内容)　　　　なぜシードバンクが必要なのかを説明する有名な例
When a <u>particular</u> plant disappears in a country, people can ask seed
　　　　特定の
banks to send them seeds of the plant. In fact, <u>the oldest seed bank</u>
　　　　　　　　　　　　　　　　　　　　　　　　最古のシードバンクが存在した
<u>existed</u> in Babylonia, in today's Iraq around 6800 B.C. Lots of seeds
were protected from very hot weather and harmful animals there.

9 The ancient people already realized the importance of keeping
古代の人々は、将来のために種を保存することの重要性をすでに認識していた。
seeds for the future.

　　Now there are more than a thousand seed banks <u>all over the world</u>.
　　　　　　　　　　　　　　　　　　　　　　　　　　　世界中に
These researchers try to keep <u>as many different kinds of plant seeds</u>
　　　　　　　　　　　　　できるだけ多くの異なる種類の植物の種子を
<u>as possible</u> for the future. They collect many seeds from many parts
of the world and keep them in dark, cold rooms. **10** The rooms
　　　　　　　　　　　　　　　　　　　　　　　　　　　　部屋は
<u>are protected by strong walls</u>. <u>In this way</u>, the seeds can survive for
頑丈な壁で守られている。　　このようにして
hundreds of years <u>until they are needed</u>.
　　　　　　　　それらが必要とされるまで

START

7 Seed banks work to
シードバンクは〜のために働いている。

1 protect plant seeds.　植物の種子を保護する

2 spread knowledge about plants.　植物に関する知識を広める

3 treat plant diseases.　植物の病気を治療する

4 grow a lot of plants.　多くの植物を育てる

8 What is true about Ireland in the mid-19th century?
19世紀半ばのアイルランドについてあてはまるものはどれか？

1 About a fourth of the population ate potatoes.
人口の約4分の1がジャガイモを食べていた。

2 There was no food other than potatoes.
ジャガイモ以外の食べ物はなかった。

3 People suffered from various diseases.
人々はさまざまな病気に苦しんだ。

4 People ate the same kind of potatoes.
人々は同じ種類のジャガイモを食べた。

9 What did the people in Babylonia know?
バビロニアの人々は何を知っていたか？

1 All plants need a warm climate.
すべての植物は暖かい気候を必要とする。

2 Many plants can be grown at one time.
一度に多くの植物を育てることができる。

3 Plant seeds must not be lost.
植物の種子は失われるべきではない。

4 There are rare plants in Iraq.
イラクには珍しい植物がある。

10 What do seed banks do to store seeds?
シードバンクは種子を貯蔵するために何をするか？

1 They develop new species of plants.
新種の植物を開発する。

2 They have places that are hard to break.　壊れにくい場所を持っている。
（= rooms protected by strong walls）

3 They keep harmful animals.
有害動物を飼う。

4 They ask researchers about the future.
研究者たちに未来についてたずねる。

GOAL

【訳】種子（タネ）のための銀行

植物の中には，すでに姿を消したものもあれば，気候変動，病気，戦争や汚染などの人間活動などの理由で，将来姿を消すものもある。❼このような損失を防ぐために，シードバンクと呼ばれる組織は，植物の種子を安全な場所に保管している。

19世紀半ば，アイルランドでは貧しい人々はジャガイモを主食にしていた。❽当時，アイルランドの人々は1種類のジャガイモしか栽培していなかった。ジャガイモは同じ病気に弱いので，1つの病気のために国中で姿を消した。結果として，人口の20～25％にあたる100万人以上が飢えで死亡した。

これは，なぜシードバンクが必要なのかを説明する有名な例だ。ある国で特定の植物が消失した場合，人々はその植物の種子を送るようにシードバンクに依頼することができる。実際，最古のシードバンクは紀元前6800年ごろ，バビロニア，今日のイラクに存在した。そこでは，非常に暑い気候と有害な動物から多くの種が保護されていた。❾古代の人々は，将来のために種を保存することの重要性をすでに認識していた。

現在，世界中には1000以上のシードバンクがある。これらの研究者は，将来のためにできるだけ多くの異なる種類の植物の種子を保持しようとする。彼らは世界の多くの地域から多くの種子を集め，それらを暗くて冷たい部屋に保管する。❿部屋は頑丈な壁で守られている。このようにして，種子は必要とされるまで何百年も生き残ることができる。

説明文の問題は基本的に4段落で構成されていて，各段落に1つの質問が設定されていることが多いようです。この長い文章を全部一気に読む必要はなく，質問と段落を1セットにして，段落ごとに読んで，1問ずつ解くのがおススメです。答えは必ず本文に書かれているので，先に質問を読んで，答えを探すように本文を読む「スキャニング」という技術を使います

第3章

リスニング

LISTENING

リスニング　心得

英検 準2級

1 はじめに

準2級では、流れる英文をすべて1回で聞き取らなければなりません。しかも、3級よりスピードは速くなり、英文の量もかなり増えています。

1回で聞き取って、選択肢を読み、答えを選ぶには、かなりの集中力が必要です。まずは10分間くらいから練習し始め、最終的には25分間英語をリスニングし続ける集中力を手に入れましょう。

2 リスニングが苦手な人の4つのタイプ

①英語の発音を聞き取るのが苦手な人

このタイプの人には、音読練習が効果的です。LやR、THなどの「日本語にない音」やright away、take it offなどの「つなげて発音される単語」が聞き取れない人は発音練習をしましょう。英語らしい発音を意識して音読すると、自然と聞き取れる単語が増えていきます。

②英語の発音は聞き取れても、意味がわからない人

このタイプの人は、シンプルに語彙力が不足しています。リスニングに限らず多くの問題を解いて、単語を覚えましょう。そのときに発音の確認と練習を忘れずに。目で見ればわかるのに、耳で聞くとわからない場合は、発音練習不足です。

108

③スピードについていけない人

このタイプの人には、早口での音読練習が効果的です。ふだんゆっくりと自分のペースで発音している人が多いはずです。準2級のスピードを目指して音読練習をしましょう。発音できる速度が上がれば、聞き取れる速度も上がります。

④集中が続かない人

このタイプの人は、ふだん、英語を聞く機会が不足しています。準2級では約25分間も英語を聞き続ける集中力が必要です。教科書や問題集のリスニング音声を使って毎日最低10分間英語を聞く時間を作りましょう。そうすれば英語を聞き続ける力がつきます。

3　第1部　対話の続きを答える問題

男女の会話を聞いて、その後の応答に適するセリフを答える問題です。男女が交互に話をするので、それを聞き分けること。音声が1回しか流れない上に、選択肢が書かれていないので、1単語も聞きのがさないようにしましょう。

4　第2部　対話の後の質問に答える問題

選択肢の英文が表記されているので、事前に読めば問題の予測ができます。必要に応じて下線を引いたり、メモを取ったりしましょう。ただ、無理してメモする必要はありません。

5　第3部　英文の後の質問に答える問題

第2部と同じく選択肢の英文が表記されているので、事前に読んで問題の内容を予想します。ただし、かなり長い英文を聞いてから答えるので、他のパートより高い集中力と豊富な語彙、そして文法の知識が求められます。

レッスン 1 リスニング よく出る 単語・表現①

このページを覚えてから問題を解こう。上級者ならこのページを見ずに解こう。

🔊 06

英語	品詞	意味	英語	品詞	意味
drive ～ to ...	動	～を…へ車で送る	serious	形	深刻な
enough	形	十分な	somewhere	副	どこかに
environment	名	環境	study for an exam	熟	試験勉強する
go on a short trip	熟	小旅行に行く	take a break	熟	休憩をとる
have a good time	熟	楽しいときを過ごす	take a message	熟	伝言を受ける
Help yourself.		自由にとって食べてね。	take ～ to ...	動	～を…へ連れていく
How about doing ～?	熟	～するのはどうですか？	tasty	形	おいしい
How was ～?	熟	～はどうでしたか？	That would be nice.		それはいいですね。
I have nothing to do.		何もすることがない。	That's too bad.		気の毒に。
I'd like to do ～.	熟	～したいのですが。	the weather forecast	名	天気予報
leather	名	革（かわ）	What happened?		何があったのですか？
Lost and Found Office	名	忘れ物あずかり所	What's the matter?		どうしたの？
May I speak to ～?	熟	～とお話させてもらえますか？	work from home	熟	在宅勤務する
move to ～	熟	～へ引っ越す	work part-time	熟	アルバイトする
parking lot	名	駐車場	Would you like to do ～?	熟	～するのはいかがですか？

準備　▶　**問題**　▶　解答

START

レッスン **1**

対話を聞き，その最後の文に対する応答として最も適切なものを，放送される 1 , 2 , 3 の中から 1 つ選びなさい。※英文は一度だけ放送されます。 🔊 07

No. 1　① ② ③　🔊 08
No. 2　① ② ③　🔊 09
No. 3　① ② ③　🔊 10
No. 4　① ② ③　🔊 11
No. 5　① ② ③　🔊 12
No. 6　① ② ③　🔊 13

このパートは選択肢の表記がないので，意識を耳に集中させましょう。問題文は短く，選択肢は3つしかないので，しっかり聞けばわかるはずです。内容は3級リーディングの会話問題のレベルです。ここが苦手な人は3級の復習から始めましょう

本番にそなえて，問題を解くときは 1 問ずつ止まらずに，なるべく 6 問すべて一気に解きましょう

GOAL

スクリプトと訳

◀))
07

No.1

★ Mom, do you have time now?
お母さん，今時間ある？

☆ Yes. What's the matter, Tom?
ええ。どうしたの，トム？

★ I have to catch the ten o'clock train. Can you drive me to the
10時の電車に乗らないといけないんだ。　　　　　　　ぼくを駅まで車で送ってくれる？

station?

❶ Sorry, but your dad took the car.
悪いけど，お父さんが車で出かけたの。

❷ No problem, it's ten o'clock now.
大丈夫よ，今10時です。

❸ OK, the bus stop is right over there.
わかったわ，バス停はすぐそこよ。

◀))
08

No.2

★ Would you like to write a science report with me this afternoon?
今日の午後，科学レポートをぼくといっしょに書かない？

☆ I'd love to, but I have to take my brother to judo class.
ぜひそうしたいけど，弟を柔道教室に連れて行かなきゃならないの。

★ We can do it at the library while your brother practices judo.
君の弟が柔道の練習をしている間に，図書館でそれ(=科学のレポート)をできるよ。

❶ Well, I need it before class.
そうね，授業の前に必要ね。

❷ Well, you may be right.
そうね，あなたの言うとおりかも。

❸ OK, let's practice judo.
じゃあ，柔道の練習をしましょう。

START

No.3

★ Judy, how was your weekend?
ジュディ，週末はどうだった？

☆ My brother is moving to Seattle, so I helped him do his packing.
兄がシアトルに引っ越すの。　　　　　　だから，兄が荷造りするのを手伝ったの。

It was so hard.
すごく大変だった。

★ Why didn't you tell me? I had nothing special to do on the
なぜ教えてくれなかったの？　　　　週末は特に何もすることがなかったのに。

weekend.

1 Thank you for helping us.
手伝ってくれてありがとう。

2 Because I moved to Seattle.
シアトルに引っ越したからよ。

❸ I called you, but you didn't answer.
電話したけど，　　　　　あなたが出なかったのよ。

No.4

★ Linda, what do you say to inviting Aunt Sarah to dinner this
リンダ，今週末，サラおばさんを夕食に招待するのはどう？

weekend?

☆ But she is always complaining about everything.
でも彼女はいつも何にでも文句を言っているよね。

★ OK, then, how about going to the new restaurant in town
わかった，じゃあ，代わりに町の新しいレストランに行くのはどう？

instead?

1 Why don't we invite Aunt Sarah?
サラおばさんを招待しない？

❷ That would be nice.
それはいいわね。

3 Please help yourself.
自由に取って食べてね。

GOAL

◀))
11

No.5

★ Hello. Dale Motor Service. How may I help you?
もしもし，デイル・モーター・サービスです。どのようなご用件でしょうか？

☆ There's something wrong with my car. The engine won't start.
車の調子が悪いんです。　　　　　　　　　　　　エンジンがかかりません。

★ I see. Where is your car now?
わかりました。あなたの車は今どこにありますか？

❶ I'll come over by car.
私は車で来ます。

❷ Since this morning.
今朝からです。

❸ In the station parking lot.
駅の駐車場です。

◀))
12

No.6

☆ Hello. Lost and Found Office. This is Carol speaking.
もしもし，忘れ物あずかり所です。　　　こちらはキャロルです。

★ Hello. I'm wondering if you found my bag. I think I left it there
もしもし。私のバッグが見つかったでしょうか。　　昨日そこにそれ（＝私のバッグ）を
yesterday.
忘れたと思います。

☆ Could you give me some more details?
もう少し詳しく教えていただけますか？

❶ It's a small blue leather bag.
小さな青い革のバッグです。

❷ Thank you for finding my bag.
バッグを見つけてくれてありがとう。

❸ I don't know where I left it.
どこに置き忘れたかわかりません。

準備 ▶ 問題 ▶ 解答

レッスン 2 リスニング よく出る 単語・表現②

このページを覚えてから問題を解こう。上級者ならこのページを見ずに解こう。

13

英語	品詞	意味
a sore throat	名	のどの痛み
Are you ready to order?		ご注文はお決まりですか？
at *one's* desk	熟	在席の
attend a meeting	熟	会議に出席する
be born	熟	生まれる
Certainly.		確かに，承知しました。
come over to help you	熟	助けに行く
contact ~	動	~と連絡をとる
dentist	名	歯医者
exchange	動	交換する
fix	動	~を修理する
have a fever	熟	発熱する
have a headache	熟	頭痛がする
have an appointment with ~	熟	~の予約がある
I'll take it.		それにします。

英語	品詞	意味
immediately	副	すぐに
make sure to *do*	熟	必ず ~する
May I take your order?		ご注文は何になさいますか？
miss the train	熟	電車をのがす
No way.		まさか，とんでもない。
print	動	印刷する
put off	熟	延期する
receipt	名	レシート
strong	形	強い
take a bus	熟	バスで行く
think about ~	熟	~について考える
tight	形	きつい
Wait for a while.		しばらくお待ちください。
while	接	~する間
wrong size	名	違うサイズ

START

GOAL

レッスン **2**

選択肢が書かれているので、事前に内容が予想できます。
選択肢を読んで理解する語彙力とスピードが求められます

対話を聞き，質問に対する答えとして最も適切なものを，1，2，3，4 の中から 1 つ選びなさい。※英文は一度だけ放送されます。 ◀)) 14

No. 1
◀)) 15
- ①- At their office.
- ②- At a restaurant.
- ③- In their car.
- ④- In the library.

No. 2
◀)) 16
- ①- He missed the train.
- ②- He was late for the trip.
- ③- The white tigers looked tired.
- ④- The trip was boring.

No. 3
◀)) 17
- ①- Work for a factory.
- ②- Call back their manager.
- ③- Fix the machine.
- ④- Wait for a while.

No. 4
◀)) 18
- ①- He doesn't like his teacher.
- ②- He wants to study French.
- ③- He doesn't want to go far.
- ④- He knows a better place.

No. 5
◀)) 19
- ①- Contact Mr. Oka quickly.
- ②- Make that data now.
- ③- Go on a vacation.
- ④- Check who Mr. Oka is.

No. 6
◀)) 20
- ①- It is good for the throat.
- ②- It cures headaches.
- ③- It's no longer available.
- ④- It works for fevers.

準備　　問題　　**解答**

スクリプトと訳

◀》 15

No.1　店での注文

★ **May I take your order, ma'am?**
ご注文は何になさいますか，奥さま？

☆ **Yes, I'd like today's pizza.**
はい，本日のピザをお願いします。

★ **Certainly. Would you like something to drink?**
かしこまりました。お飲み物はいかがですか？

☆ **I'll have coffee after the meal.**
食後にコーヒーをお願いします。

Question : Where are they now?　彼らは今どこにいるのか？

① At their office.　オフィスに。

❷ **At a restaurant.**　レストランに。

③ In their car.　彼らの車の中に。

④ In the library.　図書館に。

◀》 16

No.2　家での会話

★ **I'm home, Mom.**
ただいま，お母さん。

☆ **Hi, George. How was your school trip?**
おかえり，ジョージ。修学旅行はどうだった？

★ **I thought it would be more fun.**　**The long train ride was boring**
もっと楽しいと思っていたんだけど。　長い電車の旅は退屈で，

and there were no white tigers at the zoo.　**Moreover, it started**
動物園にはホワイトタイガーがいなかったんだ。　しかもそこに

raining after we got there.
着いたら雨が降ってきたし。

☆ **That's too bad.**　**Maybe the tigers were sleeping.**
それは残念。　トラは寝てたのかもね。

Question : Why does the woman feel sorry for the boy?
どうしてその女性は男の子がかわいそうだと思うのか？

① He missed the train.　彼は電車に乗り遅れた。

② He was late for the trip.　彼は旅行に遅刻した。

③ The white tigers looked tired.　ホワイトタイガーは疲れているように見えた。

❹ **The trip was boring.**　旅行は退屈だった。

No.3 電話での会話

17

☆ Hello. Chris & Evans Company. How may I help you?
もしもし，クリス&エバンス社です。　　　　　　どのようなご用件でしょうか？

★ This is Baker from Oakville Factory. I was wondering if you
オークビル工場のベイカーと申します。　　　　　お客様のご注文品をお送りする

could give us a few more days to ship your order.
までに，あと数日お時間をいただけないかと思いまして。

☆ It might be OK, but I need to ask the sales manager.
たぶん大丈夫だと思いますが，営業部長に確認する必要があります。

Hold on, please.
そのままお待ちください。

Question : What will Mr. Baker do next?
ベイカー氏は次に何をするか？

① Work for a factory. 工場で働く。

② Call back their manager. 部長に電話をかけ直す。

③ Fix the machine. 機械を修理する。

❹ **Wait for a while.** しばらく待つ。

No.4 友だちとの会話

18

☆ How is your French class?
フランス語の授業はどう？

★ Actually, I'm looking for a better school.
実は，もっといい学校を探しているんだ。

☆ Why? Don't you like your teacher?
どうして？　先生のことが気に入らないの？

★ Yes, I do, but the class starts too late and it's not near
いや，好きだよ。でも授業が始まるのが遅くて，　　　　　　駅から近くないんだよ。

the station.

Question : What is one reason why he wants to change schools?
彼が学校を替えようとしている理由の1つは何か？

① He doesn't like his teacher. 彼は先生が好きではない。

② He wants to study French. 彼はフランス語を勉強したいと思っている。

❸ **He doesn't want to go far.** 彼は遠くへ行きたくない。

④ He knows a better place. 彼はもっといい場所を知っている。

START

No.5　会社での電話

19

☆ Hello. May I speak to Mr. Oka?
もしもし，オカさんをお願いします。

★ He is on vacation.　He'll be back in two weeks.
彼は休暇中です。　　2週間後に戻ります。

☆ Really?　We have not received the data from him [that we need
本当ですか？今日必要なデータが彼から届いていません。
today].

★ We're very sorry.　We'll check immediately and call you back.
大変申し訳ございません。すぐにお調べして折り返しお電話いたします。

Question : What will the man do next?
男性は次に何をするか？

❶ Contact Mr. Oka quickly.　オカさんにすぐに連絡する。

❷ Make that data now.　今データを作る。

❸ Go on a vacation.　休暇に行く。

❹ Check who Mr. Oka is.　オカさんが誰なのか確認する。

No.6　医者と患者の会話

20

★ Hi, Kate.　Do you still have a fever?
やあ，ケイト。まだ熱がありますか？

☆ No more, Dr. Smith.　But I still have a headache.
もうありません，スミス先生。　でも，まだ頭痛がします。

★ OK, I'll give you a different kind of medicine today.　It will make
わかりました。今日は違う種類の薬を出します。　　　　　　頭痛は治ります，
your headache go away, but it might cause a sore throat.
　　　　　　　　　けれど，のどが痛くなることがあります。

☆ I see.　わかりました。

Question : What is one thing the man says about the medicine?
男性が薬について言っていることの1つはどれか？

❶ It is good for the throat.　のどにいい。

❷ It cures headaches.　頭痛を治す。

❸ It's no longer available.　利用できなくなった。

❹ It works for fevers.　熱に効く。

GOAL

レッスン **3** リスニング よく出る 単語・表現③

このページを覚えてから問題を解こう。上級者ならこのページを見ずに解こう。

🔊 21

acceptance	名	受諾，受取	in advance	熟	事前に
ahead of ～	熟	～の前に	major in ～	熟	～を専攻する
appreciate	動	～をありがたく思う	make money	熟	お金を稼ぐ
be interested in ～	熟	～に興味がある	move in with *one's* parents	熟	両親と同居する
be sick in the hospital	熟	病気で入院する	nearby	形	近くの
be supposed to *do*	熟	～することになっている	post	動	～を投稿する
be used to ～	熟	～に慣れている	rely on ～	熟	～を頼りにする
bear	動	耐える	run a marathon	熟	マラソンに出る
before long	副	まもなく	stay warm	熟	暖をとる
belong to ～	熟	～に所属する	take part in ～	熟	～に参加する
desert	名	砂漠	temperature	名	気温
few	形	ほとんど～ない	Thanks to ～	熟	～のおかげで
fit on	熟	～に合う	the reception desk	名	受付
go to school on foot	熟	歩いて学校に行く	toward(s)	前	～に向かって(イギリス英語はtowards)
habit	名	習慣（個人の）	university	名	大学

準備　▶ 問題 ▷　解答

レッスン **3**

第2部と同様に事前に選択肢を読みましょう。ヒントとなる文が出てくるタイミングは問題ごとに違うので、最後まで聞く必要があります

英文を聞き，質問に対する答えとして最も適切なものを，1，2，3，4の中から1つ選びなさい。※英文は一度だけ放送されます。🔊 22

No. 1
🔊 23
1 She studied art at the university.
2 She was sick in the hospital.
3 She respected doctors and nurses.
4 She wanted to work part-time.

No. 2
🔊 24
1 By jogging with Emily.　2 By playing near the pond.
3 By sitting with the man.　4 By relying on the dog.

No. 3
🔊 25
1 She will join an athletic team.
2 She will run in a marathon.
3 She will run before class.
4 She will go to school on foot.

No. 4
🔊 26
1 They live with other animals.
2 They have brown eyes.
3 They are hard to find.
4 They can live only in cold places.

No. 5
🔊 27
1 It will be colder than usual.
2 It will be rainy in the north.
3 It will snow heavily for days.
4 It will be warm in the south.

No. 6
🔊 28
1 When they will hold the book fair.
2 What they will put in the room.
3 When they can work as volunteers.
4 What they can show at the fair.

START

GOAL

No.1

23

Mina used to be a university student majoring in French.
ミナはフランス語を専攻していた大学生だった。

She chose her major because she was interested in art.　One day,
彼女が専攻を選んだのは芸術に興味があったからだ。　　　　　　　　　　　　ある日，

she started working part-time at a hospital near the university.
大学の近くの病院でアルバイトを始めた。

She liked her job and respected the staff [working for the sick and
彼女は自分の仕事が好きで，病人や負傷者のために働く職員(＝医者や看護師)を尊敬していた。

injured].　So she decided to change her major and study to become
そこで彼女は専攻を変えて看護師になるために勉強することにした。

a nurse.

Question: Why did Mina decide to change her major?
ミナはなぜ専攻を変えることにしたのか？

1 She studied art at the university.　彼女は大学で美術を勉強した。

2 She was sick in the hospital.　彼女は病気で入院していた。

❸ **She respected doctors and nurses.**　彼女は医師や看護師を尊敬していた。

4 She wanted to work part-time.　彼女はアルバイトしたいと思った。

No.2

24

While Emily was jogging, she saw two boys playing near a pond.
エミリーがジョギングをしているとき，　２人の男の子が池の近くで遊んでいるのを見た。

Suddenly, she heard a loud shouting voice.　One of the boys was
突然，　　彼女は大きな叫び声を聞いた。　　　少年の１人は

in the water asking for help, and the other boy was crying.　Emily
水の中にいて助けを求め，　　　　　もう１人の少年は泣いていた。　　　エミリーは

isn't a good swimmer, so she didn't know what to do.　Then, she
泳ぎが下手なので，　　　どうしたらいいのかわからなかった。　　　　すると，

noticed a man [sitting on a bench across the pond with his dog beside
池の向こうのベンチにイヌを横にして座っている男性がいるのに気付いた。

him].　The next moment, the dog was swimming towards the boy.　The
次の瞬間，イヌは少年に向かって泳いだ。　　　　～に向かって

boy climbed on its back, and was taken back to his friend safely.
少年はその(＝イヌの)背中によじ登って，無事に友人のところに戻ってきた。

Question: How was the boy saved?　その少年はどうやって救われたのか？

1 By jogging with Emily.
エミリーといっしょにジョギングすることで。

2 By playing near the pond.
池の近くで遊ぶことで。

3 By sitting with the man.
男性といっしょに座ることで。

❹ **By relying on the dog.**
イヌを頼りにすることで。

🔊 25

No.3

Doris loves running. She does not belong to any club at her
ドリスは走るのが大好きだ。　彼女は学校のどのクラブにも所属していないが、学校の他のと

school, but she can run faster than any other student in her school.
の生徒よりも速く走ることができる（学校でいちばん速い）。

She wants to take part in the next city marathon in October.
彼女は次の10月のシティマラソンに参加したいと思っている。

Therefore, she runs 10 kilometers before school every day.
そのため、彼女は毎日学校の前に10キロ走る。

Once, she ran all the way to her school, but she was late for class,
彼女は学校まで走ったことがあるが、　　　　　　　　　授業に遅れたので、

so she decided not to do it again.
二度とそれをしないことにした。

Question: What will Doris do next October? 次の10月にドリスは何をするか？

① She will join an athletic team.　運動部に入る。

❷ **She will run in a marathon.**　マラソンに出る。

③ She will run before class.　授業の前に走る。

④ She will go to school on foot.　徒歩で学校に行く。

🔊 26

No.4

Sand cats are known to live mainly in the Sahara Desert in Africa,
スナネコは、他の動物や人間から遠くはなれたアフリカのサハラ砂漠を中心に生息していることが

far from other animals and humans. Thanks to brown hair [that
知られている。　　　　　　　　　　　目以外の全身をおおう茶色の毛

covers their whole bodies except for their eyes], they are protected
のおかげで、敵からも強い太陽からも守られている。

from their enemies as well as the strong sun. During the day, they
日中は、彼らは掘った深い穴

hide in deep holes [they dig]. They are active at night, [when the
にかくれる。　　　　　　　砂や空気が冷たい夜に活動する。

sand and air are cooler]. They are rarely found by humans due to
彼らは、人間にはめったに見つからない。

the difficult environment [which they live in].
彼らが住んでいる過酷な環境のために、

Question: What is one thing we learn about sand cats?
スナネコについてわかることの1つは何か？

① They live with other animals.　他の動物といっしょに暮らしている。

② They have brown eyes.　茶色の目をしている。

❸ **They are hard to find.**　見つけるのはむずかしい。

④ They can live only in cold places.　寒い場所でしか生きられない。

123

🔊 27

No.5

Next is today's weather. 次は今日の天気です。 Today, the temperature will be lower than 今日は，全国的に気温が平年を下回ります。 average across the country. It will be windy but with no rain or 北部は風が強いものの，雨や snow in the north. 雪は降りません。 In the south, it will be rough with heavy snow 南部では午後は大雪で荒れます。 in the afternoon. Before long, the roads will freeze. まもなく，道路は凍結するでしょう。 If you are not 凍結した道路に used to frozen roads, please avoid driving for as long as the low なれていない場合は， 低温が続くかぎり運転を避けてください。 temperatures last. I suggest you stay warm at home today. 今日は家で暖かく過ごすことをおすすめします。

Question: What is one thing the reporter says? 記者が言っていることの1つは何か？

❶ It will be colder than usual. いつもより寒くなるだろう。　❷ It will be rainy in the north. 北部では雨になるだろう。

❸ It will snow heavily for days. 大雪の降る日が続くだろう。　❹ It will be warm in the south. 南部は暖かくなるだろう。

🔊 28

No.6

Hi, Bob. こんにちは，ボブ。 As the annual book fair is next month, let me remind you 来月，毎年恒例のブックフェアがあるので， あなたがするべき仕事をリ of the task [you should do]. マインドします。 Please see to it that each room has a 各部屋にコンピュータとプロジェクターがあるようにして computer and a projector. ください。 Make sure to know in advance which どの生徒がそれぞれの日にボランティアをすることができる students can volunteer on each day. かを事前に確認してください。 I've sent you a list of the 会社のリストを送りました。 companies [which would like their books to be introduced at the そのフェアで本を紹介してほしいと思っている fair]. Please send them our posters. 当社のポスターを送ってください。 I really appreciate your efforts. あなたの努力には本当に感謝しています。

See you next week. また来週。

Question: What should Bob ask students? ボブは生徒に何をたずねるべきか？

❶ When they will hold the book fair. いつブックフェアを開くか。

❷ What they will put in the room. 部屋に何を置くか。

❸ When they can work as volunteers. いつボランティアとして働くことができるか。

❹ What they can show at the fair. 何をフェアで見せることができるか。

第4章

スピーキング

SPEAKING

スピーキング　心得

面接試験の手順については、動画をチェック

1　はじめに

スピーキング（面接試験）は、通常の試験では一次試験合格後に受験します。しかし S-CBT での受験者はリーディングと同じ日に受けるので、他のセクションと同時並行で準備を進めてください。スピーキングテストは大きく分けて4パートがあります。

※実際の試験では、本文とイラストの入ったカードが提示されます。

 本文の音読 ➡ 本文に関する質問 ➡ イラストの説明 ➡ 質疑応答

2　黙読・音読

1. Passage（パッセージ・本文）を 20 秒間で黙読

🔊 29

▶ 01

> 面接官：First, read the passage silently for 20 seconds.
> まず，本文を20秒間声を出さずに読みなさい。

School Volunteers

Today, volunteers visit schools to help children learn better. Many elderly people want to use their experience and knowledge for young people. They are very happy to visit local schools and communicate with children. Some volunteers teach children the history of their local towns. In this way, they try to make schools better.

 20秒間はとても短いので、事前に20秒間で読む練習をしておくこと。知らない単語があっても、止まらずに読もう

2. Passage（パッセージ・本文）を音読

> 面接官：Now, please read it aloud.
> では，それ（本文）を音読しなさい。

今回なら、volunteer・learn・elderly・knowledge など

・3級の語彙問題レベルの単語をすべて読めるようにしよう。

・th, l, r, f, v などの日本人が苦手な発音は、この機会にしっかり練習しよう。

3　本文に関する質問　質問 No.1

本文についての質問があります。確認して答えます。

30
> 面接官：No.1 According to the passage, how do some volunteers try to make schools better?
> 本文によると，ボランティアの人たちはどうやって学校をより良くしようとしていますか？

解答例

They teach children the history of their local towns.
子どもたちに地元の町の歴史を教える。

質問の答えの内容は、必ず本文中にあるので、それを探し当てて、答えましょう。ここで自分の意見などを答えないこと。

今回は、In this way（このようにして）の内容を答えるので、最後から2文目の Some volunteers teach children the history of their local towns. がポイント

提示されたイラストAの5つの行動を説明します。

面接官：No.2. Please look at the people in picture A. They are doing different things. Tell me as much as you can about what they are doing.

イラストAの人々を見てください。彼らは別々のことをしています。彼らが何をしているのか、可能なかぎりたくさん私に伝えてください。

A

B

解答例：

A man is putting on his coat.

男性がコートを着ようとしている。

A woman is giving a sweater(shirt) to a boy.

女性がセーター（シャツ）を男の子に渡そうとしている。

Two girls are waving their hands to each other.

2人の女の子がお互いに手を振っている。

A girl is picking up a key.

女の子がカギを拾おうとしている。

A man is walking his dog.

男性がイヌを散歩させている。

・5つすべての行動を説明しよう。どうしてもわからなくなって、途中で終わる場合は "That's all." と伝えよう。

基本的に現在進行形（be ＋ － ing）で説明しよう

5　イラスト描写　イラストB　質問 No.3

提示されたイラスト B の主人公の行動や考えを説明します。

面接官：No.3. Now, look at the woman in the picture B.
Please describe the situation.
イラスト B の女性を見てください。その状況を説明してください。

解答例：

She wanted to buy some milk, but the store is closed.
彼女はミルクを買いたかったが、お店が閉まっている。

状況を説明するときは、理由や登場人物が考えていることなども含めて説明しよう。

こちらでは、イラスト A ではなく、イラスト B 内の2つのことを説明しよう

ここまでの本文やイラストとは直接関係のない質問に答えます。

🔊 33

面接官：Now, Mr. / Ms. － , please turn over the card.
では，－さん，カードをひっくり返してください。

面接官：No.4. Do you think it is good for students to study foreign languages?
生徒にとって外国語を勉強することは良いことだと思いますか？

解答例：
Yes. They can know foreign cultures and people. Also, they can help foreign people living in Japan.
はい。彼らは外国の文化と人々について知ることができる。また，彼らは日本に住む外国人を助けることができます。

自分が外国語を学びたいかどうかではなく、生徒にとって良いのかについて、自分の考えを答えるようにしよう。

1文だけではなく、できるだけ2文以上で答えよう。1文目の説明や具体例、またはもう1つの理由を付け加えよう

7　質疑応答　質問 No.5

自分のことに関する質問に答えます。

🔊 34

> 面接官：No.5. These days, some people don't read newspapers.
> Do you often read newspapers?
> 最近，新聞を読まない人がいます。あなたは新聞をよく読みますか？

> 面接官：Why? Please tell me more. / Why not?
> なぜですか？もっと説明してください。／なぜ読まないのですか？

> **解答例：**
> No. Because I am busy with my homework.
> いいえ。なぜなら私は宿題で忙しいからです。
>
> I don't have time to read newspapers at home.
> 私は家で新聞を読む時間がありません。

まずは Yes. / No. を答える。すると、理由をたずねられるので、理由を答えよう。

実際に思いつく理由は、むずかしくて英語にできないことがある。本心ではなくてもいいので、自分が使えるかんたんな英語で理由を答えよう。

理由は「なんとなく」ではなく、たとえ実際はそうでなくても、なにかしらの理由を答えよう。これはあくまであなたの英語力を問う試験なので、英語が話せることを示そう

レッスン 1 スピーキングに使える単語 30

このページを覚えてから問題を解こう。上級者ならこのページを見ずに解こう。

🔊 35

aloud	副	声に出して
among	前	～の間で
clothes	名	衣服
concentrate	動	集中する
course	名	コース
cover	動	～をおおう, カバーする
death	名	死
difficult	形	むずかしい
easily	副	かんたんに
elderly	形	高齢の
healthy	形	健康的な
important	形	大切な
instead of ～	熟	～の代わりに
lifestyle	名	ライフスタイル, 生活様式
meal	名	食事

other	形	他の
passage	名	パッセージ, 本文
people	名	人々
pleasure	名	喜び
pour	動	～をそそぐ
prepare	動	準備する
recently	副	最近
silently	副	静かに
sweater	名	セーター
themselves	名	彼ら自身
these days	熟	最近
thing	名	もの, こと
throw	動	～を投げる
trouble	名	困難
unnecessary	形	不要な

レッスン **1** 音 読 質 問 1

START

Meal Delivery Services

Eating healthy food is important for everyone. However, people are sometimes too busy to cook. Also, it is difficult for elderly people or sick people to go to supermarkets and prepare meals by themselves. Now, many companies deliver cooked meals to people, and in this way they help people eat healthy food easily.

No.1 🔊 36 ▶ 02

試験中に、もし質問を聞きのがした場合は、考え込まずに Please say it again. や Could you say it again? または、Pardon? などを使って、再び言ってもらえるよう頼もう

GOAL

レッスン **1**

1. 黙読

面接官：Now, please read the passage silently for twenty seconds.
まず、本文を 20 秒間声を出さずに読んでください。

37

▶ 黙読のときは、まず頭の中で発音を確認しながら、ひと通り目を通し
02 ましょう。

今回、20 秒間が短いと感じた人は、長文問題や教科書などのテキ
ストで、50 〜 60 単語の文章を 20 秒間で読んでから音読をする練
習をしましょう。

発音がわからない単語があったら、とりあえずローマ字読みで乗り
切りましょう。今回なら healthy や elderly、prepare、themselves
などです。たとえ間違った発音でも読まないよりは読んだ方がいい
です。

2. 音読

面接官：Please read it aloud.
音読してください。

落ち着いてはっきりと面接官に聞こえる声で、タイトルから読みま
す。自信のない所で声が小さくならないように注意します。元々、
声が小さい人は、できるだけ大きな声ではっきり読みましょう。
できるだけ意味のまとまりが面接官に伝わるように読みます。また、
コンマやピリオドの後などに短いポーズをおきます。
この問題では次のような感じです。（/ と // はポーズか息継ぎ）

Eating healthy food/ is important for everyone.// However,
people are sometimes too busy to cook.// Also, it is difficult/
for elderly people/ or sick people/ to go to supermarkets/ and
prepare meals by themselves.// Now, / many companies deliver
cooked meals to people, / and in this way/ they help people/ eat
healthy food easily.

START

🔊
38

面接官：Question No. 1

According to the passage, how do many companies help people
eat healthy food easily?

本文によると，多くの会社はどのようにして人々が健康的な食べ物をかんたんに食べるのを助
けますか？

解答例：

By delivering cooked meals to people.

調理した食事を届けることで。

第1問は "According to the passage"（本文によると）で始まり
ます。直後の疑問詞を聞き逃さないよう注意します。

how で問われた場合、文中から、in this way や by doing so とい
う表現を探します。多くの場合、直前の部分が答えです。ここでは
4 文目の Now, <u>many companies deliver cooked meals to people</u>,
and *in this way* they help people eat healthy food easily. がター
ゲットの文です。

Meal Delivery Services
食事宅配サービス

Eating healthy food is important for everyone.
健康的な食事をすることは，誰にとっても大切なことです。

However, people are sometimes too busy to cook.
でも，忙しくて料理ができないこともあります。

Also, it is difficult for elderly people or sick people to go to
また，大変なことです。高齢者や病人にとって，

supermarkets and prepare meals by themselves.
自分でスーパーマーケットに行き，食事を用意するのは。

Now, many companies deliver cooked meals to people,
今では，多くの会社が人々に調理された食事を宅配しています。

and in this way they help people eat healthy food easily.
このようにして，健康的な食事を手軽にとれるようにサポートしています。

GOAL

レッスン 2 スピーキングに使える単語 30

このページを覚えてから問題を解こう。上級者ならこのページを見ずに解こう。

🔊
39

英語	品詞	意味	英語	品詞	意味
cart	名	カート，台車	on the phone	熟	電話で
clock	名	時計	pick up 〜	熟	〜を拾う
community	名	地域社会	pull	動	〜を引く
describe	動	〜を描写する	put 〜 on the wall	熟	壁に〜を貼る
different	形	異なった，いろいろな	repair	動	〜を修理する
draw	動	〜を描く	shake hands	熟	握手する
drop	動	〜を落とす	situation	名	状況
each other	熟	お互いに	stairs	名	階段
feed 〜	動	〜にエサをやる	take 〜 out of the bag	熟	カバンから〜を取り出す
for the first time	熟	はじめて	throw away 〜	熟	〜を捨てる
garbage	名	ゴミ	wallet	名	財布
get bored	熟	退屈する	water	動	花に水をやる
grow	動	〜を育てる	wave	動	手を振る
grow up	熟	成長する	What about 〜?	熟	〜はどう？
make an announcement	熟	アナウンスする	wrap	動	〜を包む

準備　問題　解答

レッスン 2　質問 2・3

A

B

No.2　No.3　◀》 40　▶ 03

レッスン **2**

No.2 のこの質問はどの回でも基本的に同じです

🔊 41

面接官：Question No. 2

Now, please look at the people in Picture A. They are doing different things. Tell me as much as you can about what they are doing.

では、イラスト A の人々を見てください。彼らは別々のことをしています。彼らが何をしているのか、可能なかぎりたくさん私に伝えてください。

a girl や a man など
a をつけるのを忘れずに

解答例：

A girl is opening the window.
1 人の女の子が窓を開けている。

A man is talking [speaking] on the phone.
1 人の男性が電話で話している。

A boy is making [pouring] coffee.
1 人の男の子がコーヒーを作って（そそいで）いる。

A man is fixing [repairing] a clock.
1 人の男性が時計を修理している。

A woman is watering flowers.
1 人の女性が花に水をやっている。

第 2 問では、イラスト中の人物の動作を説明します。すべての人物の動作を〈主語＋現在進行形〉で言えれば OK です。

START

No.3 も毎回同じ質問です。the boy の
部分だけは変わります

◀))
42

面接官：Question No. 3

Now, look at the boy in Picture B. Please describe the situation.
では、イラスト B の男の子を見てください。その状況を説明してください。

その人物の置かれている「状況」と、
吹き出しにある「考え」の 2 つとも
説明しましょう

解答例 1：

He wants to buy a CD but he doesn't have enough money.
彼は CD を買いたいけれど、十分なお金を持っていない。

解答例 2：

He is going to buy a DVD but he can't find the money.
彼は DVD を買うつもりだけれど、お金が見つからない。

第 3 問では、少し困った状況に置かれている人物について説明します。主語は、the boy のように問題そのままではなく、he のような代名詞に変えるとよいでしょう。

2 つの解答例のように、イラストの解釈は人それぞれで OK です。正しい
英語表現になっているかに気を付けましょう

GOAL

レッスン **3** スピーキングに使える表現 30

このページを覚えてから問題を解こう。上級者ならこのページを見ずに解こう。

43

a couple of hours	熟	2、3時間	I like to *do* ~.	熟	私は ~するのが好きです。
any more	熟	これ以上	I think so, too.		私もそう思います。
as soon as ~	熟	~とすぐに	I would like to *do* ~.	熟	私は ~したいです。
be good at ~	熟	~が得意だ	I'm not sure.		わかりません。
be known to ~	熟	~で知られている	~is more expensive than...	熟	~は…よりも高価だ
be busy *doing*	熟	~するのに忙しい	moreover	副	さらに
comfortable	形	快適な	on time	熟	時間通りに
economically	副	経済的に	per	前	~につき
even if ~	接	たとえ~でも	right away	熟	すぐに
furthermore	副	さらに	sell out	熟	売り切れる
generally	副	一般的に	Some ~, other....	熟	~もいれば…もいます。
give up	熟	あきらめる	thanks to ~	熟	~のおかげで
go out	熟	出かける	That's why ~	熟	こういう理由で~
I don't think so.		そうは思いません。	They are open 24 hours.		それらは24時間営業です。
I don't want to *do* ~.		私は ~したくないです。	We don't have to *do* ~.	熟	私たちは ~する必要がありません。

START

レッスン 3　質問 4・5

No. 3 が終わり、"Now, Mr./Ms. —, please turn over the card and put it down." と指示されたら、カードを裏返して次の質問を待ちます。

No.4　No.5 🔊 44　▶ 04

スピーキングテストでは終わった問題のことを考えていると、次の質問が聞き取れなかったり、英語で考えられなかったりします。たとえ失敗しても、終わった問題のことは忘れて次の問題に集中しましょう

第 4 問と第 5 問では、カードを裏返して自分の考えや意見を述べること（質疑応答）が求められます。面接官とアイコンタクトを取りながら、はっきり答えましょう

GOAL

レッスン**3**

🔊
45

> 面接官：Question No. 4
>
> **Do you think more students will use digital textbooks?**
> もっと多くの生徒がデジタル教科書を使うと思いますか？

（Yes に対して） Why? なぜそう思うのですか？

（No に対して） Why not? なぜそう思わないのですか？

解答例（Yes → Why? に対して）：

Digital textbooks help *students* in many ways such as animations.

Also, *they* don't need to bring heavy textbooks.

デジタル教科書は、アニメーションなど、さまざまな面で生徒を助けてくれます。また、彼らは重い教科書を持参する必要がありません。

×良くない例

I usually use digital textbooks and I like them.
私はいつもデジタル教科書を使っていますし、それらが好きです。

 今回の質問は自分のことでなく、「students」について聞かれているので、主語はIではなく they または students で答えましょう

解答例（No → Why not? に対して）：

Students cannot use digital textbooks when the battery is empty.

Moreover, *they* will do other things online in class.

生徒たちは電池がからっぽのときは、デジタル教科書は使えません。さらに、授業中にオンラインで別のことをするでしょう。

第4問では、Yes/No で答える疑問文が問われます。学校生活や社会現象についての受験者の意見を求められます。

個人的な意見と区別するため、主語をIではなく、students など集団を示す単語にしましょう。

 理由は2文以上で答えるようにしましょう。理由が2つなければ、具体例やなぜそう考えるのかなどを付け加えましょう

🔊
46

面接官：Question No. 5

Some people share a house or an apartment house with other people. Do you want to share a house or an apartment house with someone?

家やアパートを他の人とシェアする人がいます。あなたは、家やアパートを誰かとシェアしたいですか？

（Yes に対して） | Please tell me more. | もっと教えてください。
（No に対して） | Why not? | なぜそう思わないのですか？

解答例（Yes → Please tell me more. に対して）：

Sharing a house is cheaper than living alone.

Moreover, I don't want to live alone.

シェアハウスはひとり暮らしより安上がりです。それに、私は1人で暮らしたくないです。

今回は「あなたがどうしたいか？」を聞かれているので、あなたの好みや個人的な理由を話しましょう

解答例（No → Why not? に対して）：

I don't want to live with anyone. Also, I want to use the bathroom when I need to use it.

私は誰ともいっしょに暮らしたくないです。それに、私はトイレ（お風呂）を自分が使う必要があるときに使いたいです。

第5問は受験者自身について問われているので、第4問とは少し答え方が異なります。

No.5も1つの理由を答えて終わるのではなく、2つ以上の理由、もしくは1つの理由とその具体例や補足を答えるようにしましょう

模試直前　単語リスト30

このページを覚えてから模試を解こう。上級者ならこのページを見ずに解こう。

🔊 47

英語	品詞	意味	英語	品詞	意味
a movie theater	名	映画館	make a mistake	熟	間違える
a sunny place	名	日当たりの良い場所	name	動	～を名付ける
air	名	空気	nature	名	自然
any	形	何か	necessary	形	必要な
countryside	名	田舎	pollution	名	汚染
due to	熟	～が原因で，～のためで	process	名	過程，プロセス
energy	名	エネルギー	quiet	形	静かな
experienced	形	経験豊かな	realization	名	理解
female	形	メスの	several	形	いくつかの
follow	動	～に従う，付いていく	stay up	熟	(寝ないで)起きている
further	副	さらに	store	名	店
Germany	名	ドイツ	success	名	成功
hippopotamus	名	カバ	symbol	名	シンボル
importance	名	大切さ	till ～	前	～まで
insist	動	主張する	wet	形	ぬれている

第5章

模擬テスト

TEST

試験時間
- 筆記（リーディング・ライティング）……………………… 80分
- リスニング ……………………………………………… 約25分
- スピーキング…………………………………………… 約6分

本番のつもりで時間を計りながらチャレンジ！
試験の順序は従来型とS-CBTで異なるので8
ページで確認しよう

次の (1) ～ (20) までの （　　　）に入れるのに最も適切なものを 1, 2, 3, 4 の中から1つ選び, その番号を○で囲みなさい。

(1) The main (　　　) of this course is to teach you how to grow trees.

    1 purpose   2 degree

    3 clothes   4 community

(2) The ceremony (　　　) for five hours, and everyone got bored.

    1 translated   2 noticed

    3 expressed   4 lasted

(3) The book was so boring that I soon (　　　) asleep.

    1 took   2 fell

    3 made   4 held

(4) (　　　) the weather forecast, it will rain tomorrow.

    1 As soon as   2 Ahead of

    3 According to   4 In place of

(5) As chicken was sold out, I bought seafood (　　　).

    1 instead   2 exactly

    3 actually   4 perhaps

(6) You should get enough sleep before an exam. (　　　), your brain will not work properly during the exam.

1　Besides

2　Fortunately

3　Apparently

4　Otherwise

(7) On her first day at work, Judy was confused and didn't know what to do. But now she (　　　) to her work and feels quite comfortable.

1　is accustomed

2　puts up

3　gets along

4　makes the most

(8) A : Hello, this is Leila Brown from the Los Angeles office.
May I speak to Mr. Kamzon?

B : (　　　) I'll see if he is at his desk.

1　How come?

2　No way.

3　Hold on.

4　Guess what.

(9) A : Who is (　　　) for this project?

B : I think Michael is. He is the most experienced member on this team.

1　typical

2　further

3　equal

4　responsible

(10) A : Air pollution is one of the most serious (　　　) of our city.

B : I agree. We should try hard to find an answer.

1　articles

2　advantages

3　issues

4　stairs

GOAL

(*11*) He stays up late at night and (   ) gets up before noon. In other words, he is a night person.

    1   accidentally   2   completely

    3   hardly   4   gradually

(*12*) Charlie is someone who never gives up: even when Natalie turned down his idea, he (   ) on her acceptance.

    1   insisted   2   provided

    3   fed   4   reduced

(*13*) Alice is good at music, but she is going to major in math at university. She plays the piano and the violin for (   ).

    1   matter   2   shame

    3   business   4   fun

(*14*) A：See you at seven in front of the movie theater.

    B：OK. Don't (   ) to bring your ticket.

    1   throw   2   fail

    3   make   4   mean

(*15*) A：The two black cats look quite (   ) to each other. Sometimes I take one for the other. Can you see the difference?

    B：Of course. I am their owner.

    1   polite   2   precise

    3   concerned   4   similar

模擬テスト

START

GOAL

次の(16)から(20)までの会話について、(　　　)に入れるのに最も適切なものを 1, 2, 3, 4 の中から 1 つ選び、その番号を○で囲みなさい。

(16) A：Eddy, you look upset. What's the matter?

B：Dad, I have a job interview today. I thought it would be in the afternoon, but it begins at 11:30.

A：You will still be on time. The next train is at 10. (　　　)

B：Thanks, Dad. I'll wait for you in the car.

　1　It will be delayed.

　2　I'll give you a ride to the station.

　3　I'll pick you up at the station.

　4　Good luck.

(17) A：Excuse me. Can I try this sweater on?

B：Sure. Here's the fitting room.

A：It fits me, but (　　　) Do you have a blue one?

B：Sorry, but the blue ones are sold out. I can check if our other store has one.

　1　it is a bit too tight.

　2　I'm looking for a sweater.

　3　I don't like this color very much.

　4　I need to try it on first.

(*18*) A：How do you feel, Sandy?

B：I feel very bad, doctor.　I have a stomachache.

A：（　　　　　）

B：Well, I guess...this morning, after breakfast.

A：What did you eat for breakfast?

B：Oh, I remember.　I'm afraid the milk was old.

　1　When did it begin?

　2　Do you still feel bad now?

　3　Take it easy.

　4　How did it start?

(*19*) A：What do you say to visiting River Park this weekend?

B：I don't know.　（　　　　　）　It might be dangerous by the river.

A：Then, why don't we stay home and watch movies, instead?

　1　I'll be busy.

　2　It will rain over the weekend.

　3　I need to visit my uncle.

　4　We visited the park recently.

(*20*) A：Ms. Lee, may I ask you a favor?

B：Of course.　Go ahead.

A：I was sick and absent from your class last week, so I need to catch up with the work.　But I don't know what you did in class.

B：In that case, I will help you for sure.　（　　　　　）　I'll be available after three.　Can you come back later?

　1　Shall we work together right away?

　2　Sorry, I don't have time today.

　3　But I need to go to my next class now.

　4　Why were you absent?

3

次の英文を読み，その文意にそって (21) から (22) までの（　　）に入れるのに最も適切なものを 1, 2, 3, 4 の中から 1 つ選び，その番号を○で囲みなさい。

Getting Out of Bad Habits

Jason often failed to do his homework. He often forgot to bring necessary items to school too. Every day he made up his mind not to make the same mistakes again. But as soon as he came home, he (21). When he came back home again, he was busy eating dinner, taking a bath, and watching TV until late. After watching TV, he was too tired and sleepy to do homework or remember what to put in his bag for the next day.

One day, while he was talking with Melany, the best student in his class, she said to him," When I go home, I take all my textbooks and notebooks out of my school bag. Then, I remember what I learned in each class. Next, I do my homework and put everything that I need for the next day in my bag. In this way, I know (22) I have before going to bed." Jason started to use her method. This has made him one of the best students in his class.

(21)　1　did his homework

2　took a nap

3　got rid of his textbooks

4　went out to play

(22)　1　which TV programs

2　how much free time

3　how many textbooks

4　what homework

GOAL

次の英文 A, B の内容に関して, (23) から (29) までの質問に対する答えとして最も適切なもの, または文を完成させるのに最も適切なものを 1, 2, 3, 4 の中から 1 つ選び, その番号を○で囲みなさい。

From: Miriam Dale, Green Garden Store
To: Suzanna Chapman
Date: March 15
Subject: Shop Information

....

Dear Ms. Chapman,

Thank you for contacting us. To answer your questions, I'd like to give you some general information about mint. It is not difficult to take care of the plant. You can put the seeds in a pot and leave it in a sunny place. Avoid watering it as long as the soil* is wet. Mint species are strong, so they will spread and cover the pot quickly.

We give a gardening class on the second Saturday every month. The subject of our class happens to be mint. The class might be helpful for you. It will cover how to make use of mint as well as how to take care of it. The fee is $10 per person. If you are interested, please write back to me.

You asked if also we have an online store. No, we don't sell any plants online because they are too delicate to send in boxes. We are open from 10 am to 8 pm every day except the first Sunday of each month. We also offer more than 30 kinds of herb* tea and tasty cakes in our beautiful garden cafe. We are hoping to welcome you to our store soon.

Sincerely,

Miriam Dale, Green Garden Store

---

* soil: 土

* herb: ハーブ

(23) According to Miriam,

    1   mint likes sunshine.

    2   mint needs watering every morning.

    3   mint grows slowly.

    4   mint needs a lot of care.

(24) The teacher of the mint class will probably talk about

    1   the origin of mint.

    2   famous songs about mint.

    3   how to draw mint.

    4   how to make tasty mint tea.

(25) What do we learn about the store?

    1   They are closed only two days a month.

    2   They have an online store.

    3   They have a restaurant.

    4   They sell plants.

4B

Daily Decisions

Mark Zuckerberg, the founder* of Facebook, is also known to wear the same type of the clothes almost every day: a gray T-shirt and jeans. People might wonder why he is extremely wealthy. He explains the reason for the habit: it is because he wants to concentrate his time, mind and energy on really important matters for the Facebook community.

According to him, every time people have to make a decision about something, it uses their energy. Even if it is a small one such as what to wear or what to eat for breakfast, it gradually makes them tired. As a result, people will not have enough energy to focus on quite valuable issues. It makes sense. Therefore, this attitude towards small things is followed by some young businesspeople.

What Zuckerberg and his followers realize is the fact that everyone in this world is given time equally. It means that our time is limited. In other words, it is very short. So, if people have already found a goal to achieve in their life, they should spend all their time and energy on the goal without wasting anything.

On the other hand, people will find a quite contrary attitude toward everyday decisions in religious communities. They would say that the goal of our life is not success but just to live. Living every moment of their life with all their heart and mind is far more important than anything else. " Put all your attention to every part of your experience, make a careful decision on every small thing, and take deep pleasure from the process," they would say. Interestingly, this attitude also comes from the realization of the shortness of our life. Whichever way of living you choose depends on your attitude toward life.

*founder: 創設者

START

(26) What is Mark Zuckerberg's famous habit?

    1   He makes his original T-shirts and jeans.

    2   His clothing style is usually the same.

    3   He spends a lot of money on casual fashion.

    4   He doesn't work long hours for his company.

(27) According to Zuckerberg, what makes people tired little by little?

    1   To decide something small.

    2   To eat breakfast every day.

    3   To wear the same clothes.

    4   To have less energy to focus on.

(28) What realization leads to Zuckerberg's attitude?

    1   Everybody is economically equal.

    2   People should find a goal in their life.

    3   People should follow a great person.

    4   Life is short.

(29) If people think just to live is the most important thing in life, they should

    1   care about nothing but work.

    2   work very hard for success.

    3   carefully choose what to do every day.

    4   do whatever they like.

GOAL

5 ライティング（Eメール）

ライティングテストは，2つ問題（⑤と⑥）があります。忘れずに，2つの問題に解答してください。この問題はEメール解答欄に解答を記入してください。

- あなたは，外国人の知り合い（Kate）から，Eメールで質問を受け取りました。この質問にわかりやすく答える返信メールを，□に英文で書きなさい。
- あなたが書く返信メールの中で，KateのEメール文中の下線部について，あなたがより理解を深めるために，下線部の特徴を問う具体的な質問を2つしなさい。
- あなたが書く返信メールの中で□に書く英文の語数の目安は40語〜50語です。
- 解答は，右のEメール解答欄に書きなさい。なお，解答欄の外に書かれたものは採点されません。
- 解答がKateのEメールに対応していないと判断された場合は，0点と採点されることがあります。KateのEメールの内容をよく読んでから答えてください。
- □の下のBest wishes,の後にあなたの名前を書く必要はありません。

Hi!

As you know, yesterday, I joined a volunteer activity with my classmates. We went to a beach to collect trash together. It took a long time. It took about 3 hours to finish cleaning the beach. The work was really hard, but I was glad to see how clean the beach became after we finished. I hope people enjoy seeing our clean beach when they visit. There are many other volunteer activities in my city, too. Do you think more people will join volunteer activities in the future?

Your friend,
Kate

START

E メール解答欄

Hi, Kate!

Thank you for your e-mail.

5

10

Best wishes,

ライティングテストは，2つ問題（⑤と⑥）があります。忘れずに，2つ
の問題に解答してください。この問題は英作文解答欄に解答を記入してく
ださい。

- あなたは，外国人の知り合いから以下の QUESTION をされました。
- QUESTION について，あなたの意見とその理由を2つ英文で書きなさい。
- 語数の目安は 50 語～ 60 語です。
- 解答は右の英作文解答欄に書きなさい。なお，解答欄の外に書かれたものは
  採点されません。
- 解答が QUESTION に対応していないと判断された場合は，0 点と採点され
  ることがあります。QUESTION をよく読んでから答えてください。

QUESTION

Do you think it is better for children to grow up in big cities than in the
countryside?

英作文解答欄

リーディング・ライティング終わり。リスニングの音声を準備して下さい。

模擬テストのリスニング音声は1つのトラックにまとめています。途中で止めずに試験の雰囲気を体験しましょう。

試験時間は約25分です。

このリスニングテストには，第1部から第3部まであります。

英文はすべて一度しか読まれません。

第1部…対話を聞き，その最後の文に対する応答として最も適切なものを，放送される1，2，3の中から1つ選びなさい。

第2部…対話を聞き，その質問に対して最も適切なものを1，2，3，4の中から1つ選びなさい。

第3部…英文を聞き，その質問に対して最も適切なものを1，2，3，4の中から1つ選びなさい。

第1部

No.1 　1　　2　　3

No.2 　1　　2　　3

No.3 　1　　2　　3

No.4 　1　　2　　3

No.5 　1　　2　　3

No.6 　1　　2　　3

No.7 　1　　2　　3

No.8 　1　　2　　3

No.9 　1　　2　　3

No.10 　1　　2　　3

第2部

No. 11　　1　　To the swimming pool.

　　　　　2　　To the dentist.

　　　　　3　　To Michael's.

　　　　　4　　To the station.

No. 12　　1　　He doesn't need a shirt.

　　　　　2　　He doesn't have the receipt.

　　　　　3　　He bought the wrong size.

　　　　　4　　They can't exchange anything.

No. 13　　1　　They are going to Sandra's party.

　　　　　2　　Sandra doesn't seem to eat fruit.

　　　　　3　　Sandra likes sandwiches.

　　　　　4　　They will invite Sandra.

No. 14　　1　　Meet with Mr. Collins.

　　　　　2　　Call them back.

　　　　　3　　Lie sick in bed.

　　　　　4　　Wait for their call.

No. 15　　1　　Chicken.

　　　　　2　　Fish and soup.

　　　　　3　　Salad and soup.

　　　　　4　　Just coffee.

No. 16　　1　Fix the printer.

　　　　　2　Use another printer.

　　　　　3　Attend a meeting.

　　　　　4　Print documents for George.

No. 17　　1　It's not fashionable.

　　　　　2　It's difficult to use.

　　　　　3　It's too expensive.

　　　　　4　It's perfect.

No. 18　　1　They will meet on Sunday.

　　　　　2　They will meet on Monday.

　　　　　3　They don't want to go to the movies.

　　　　　4　They cannot meet soon.

No. 19　　1　Use the bathroom.

　　　　　2　Lock the door.

　　　　　3　Pick up their mother.

　　　　　4　Go to the house next door.

No. 20　　1　To eat at home.

　　　　　2　To eat sushi.

　　　　　3　To make Italian food.

　　　　　4　To eat out.

第3部

No. 21
1 The participants should speak French.
2 Dinner will be served at 3 p.m.
3 The dolphin show will be canceled.
4 The participants should return to the bus.

No. 22
1 Read books about maps.
2 Go hiking far away from home.
3 Post photos to Instagram.
4 Learn something new.

No. 23
1 He was a best-selling author from the start.
2 He was a ship's doctor at first.
3 He was a sailor for a long time.
4 He was a rich clinic doctor.

No. 24
1 By showing the tickets.
2 By leaving the room by 10:30.
3 By taking the elevator to the third floor.
4 By calling the reception desk.

No. 25
1 The two books are still with her.
2 She wrote her report in the library.
3 She has already handed in her report.
4 She left her book at her part-time job.

GOAL

No. 26
1   He stayed at his friend's house.
2   He moved in with his parents.
3   He stayed in a hotel.
4   He moved to a room near his office.

No. 27
1   He retired from his job.
2   He should do exercise regularly.
3   He takes time to get there.
4   He jogs in a nearby park.

No. 28
1   She used to be called Annie.
2   She likes to study biology.
3   She didn't go to high school.
4   She sometimes talks with Annie.

No. 29
1   Buy clothes on sale.
2   Buy imported toys.
3   Eat international food.
4   Leave heavy bags.

No. 30
1   You can seldom use the room.
2   There are no restaurants nearby.
3   You can't keep cats in the room.
4   You can get a pet for $1,000.

リスニング終わり。スピーキングの音声を準備して下さい。

8 スピーキングテスト ◀》49 ▶ 05

Simple Lifestyles

These days, simple lifestyles are becoming popular among many people. More and more people are having trouble because they have too many clothes and other things in their rooms. Some people throw away these unnecessary items to have a simple life. By doing so, they can clean their rooms more easily and concentrate on the important things in their lives.

A

B

よくがんばったね。お疲れ様。
答え合わせをして、間違えた問題を復習するのが合格へ
のいちばんの近道だ。さあ、あとひと息！

模擬テスト
解答・解説
ANSWERS & EXPLANATIONS

(1) The main (purpose) of this course is to teach you how to grow trees.

この講座の主な目的は，木の育て方を教えることだ。

| 1 | purpose 目的 | 2 | degree 学位 |
| 3 | clothes 衣服 | 4 | community 地域社会 |

(2) The ceremony (lasted) for five hours, and everyone got bored.

そのセレモニーは5時間続き，誰もが退屈した。

| 1 | translated ~を翻訳した | 2 | noticed ~に気づいた |
| 3 | expressed ~を表した | 4 | lasted 続いた |

(3) The book was so boring that I soon (fell) asleep.

その本はとても退屈だったので，私はすぐに眠り込んでしまった。

| 1 | took take の過去形 | 2 | fell fall の過去形 |
| 3 | made make の過去形 | 4 | held hold の過去形 |

(4) (According to) the weather forecast, it will rain tomorrow.

天気予報によれば明日は雨になる。

| 1 | As soon as ~とすぐに | 2 | Ahead of ~の前に |
| 3 | According to ~によれば | 4 | In place of ~の代わりに |

(5) As chicken was sold out, I bought seafood (instead).

チキンが売り切れていたので，その代わりにシーフードを買った。

| 1 | instead その代わりに | 2 | exactly 正確に |
| 3 | actually 実は | 4 | perhaps ひょっとしたら |

リーディングの前に、ライティングにとりかかるのが、合格のコツだよ。忘れずにできたかな？

START

(6) You should get enough sleep before an exam. (Otherwise), your brain will not work properly during the exam.

試験の前には十分な睡眠をとるべきです。そうでなければ，頭が試験中ちゃんと働かないでしょう。

1　Besides　そのうえ　　　　　2　Fortunately　幸運にも

3　Apparently　たぶん　　　　4　Otherwise　そうでなければ

(7) On her first day at work, Judy was confused and didn't know what to do. But now she (is accustomed) to her work and feels quite comfortable.

初出勤の日，ジュディーは混乱し，何をすべきかわからなかった。しかし今や彼女は仕事になれてかなり快適に感じている。

1　is accustomed
(be accustomed to) ～になれている

2　puts up
(put up with) ～を我慢する

3　gets along
(get along with) ～とうまくやっていく

4　makes the most
(make the most of) ～を最大限にいかす

(8) A : Hello, this is Leila Brown from the Los Angeles office.
May I speak to Mr. Kamzon?

もしもし。ロサンジェルス支社のレイラ・ブラウンですが，カムゾンさんをお願いできますか？

B : (Hold on.) I'll see if he is at his desk.

そのまま切らずにお待ちください。席にいるかどうか見てきます。

1　How come?　どうして？　　　2　No way.　まさか，とんでもない。

3　Hold on.　電話を切らずに待って。　4　Guess what.　あのさ，ちょっと聞いて。

(9) A : Who is (responsible) for this project?

このプロジェクトに責任があるのは誰かな？

B : I think Michael is. He is the most experienced member on this team.

マイケルだと思うよ。彼がこのチームでいちばんの経験者だから。

1　typical　典型的な　　　　　2　further　さらに

3　equal　等しい　　　　　　　4　responsible　責任のある

GOAL

(10) A : Air pollution is one of the most serious (issues) of our city.

大気汚染は我々の市の最も深刻な問題の1つだ。

B : I agree. We should try hard to find an answer.

そのとおり。解決策を見つけるように努力しなくてはね。

| 1 | articles 記事 | 2 | advantages 利点 |
| 3 | **issues** 問題 | 4 | stairs 階段 |

(11) He stays up late at night and (hardly) gets up before noon.
In other words, he is a night person.

彼は夜ふかししていて，午前中に起きることがほとんどない。
言い換えれば，彼は夜型人間だ。

| 1 | accidentally 偶然に | 2 | completely 完全に |
| 3 | **hardly** ほとんど〜ない | 4 | gradually 徐々に |

(12) Charlie is someone [who never gives up]: even when Natalie turned down his idea, he (insisted) on her acceptance.

チャーリーは決してあきらめない人だ。ナタリーが彼の考えを断ったときでさえ，
彼は彼女が受け入れることを主張した。

| 1 | **insisted** 主張した | 2 | provided 〜を供給した |
| 3 | fed 〜に食べ物を与えた | 4 | reduced 〜を削減した |

(13) Alice is good at music, but she is going to major in math at university. She plays the piano and the violin for (fun).

アリスは音楽が得意だが，大学では数学を専攻する予定だ。
彼女は楽しむためにピアノとバイオリンを弾く。

| 1 | matter 問題 | 2 | shame 残念なこと，恥 |
| 3 | business 仕事 | 4 | **fun** 楽しみ |

START

(14) A：See you at seven in front of the movie theater.

映画館の前で 7 時に会いましょう。

B：OK.　Don't（fail）to bring your ticket.

わかった。チケットを必ず持ってきてね。

1	throw	～を投げる	2	fail	～しそびれる
3	make	～を作る	4	mean	～を意味する

not fail to *do*
「必ず～する」

(15) A：The two black cats look quite（similar）to each other.　Sometimes I take one for the other.　Can you see the difference?

2 匹の黒ネコはお互いにとても似ている。私は時々 1 匹をもう 1 匹と間違えてしまう。あなたには違いがわかるの?

B：Of course.　I am their owner.

当然だろ。ぼくは飼い主なんだから。

1	polite	礼儀正しい	2	precise	正確な
3	concerned	心配した	4	similar	似ている

take A for B「A を
B だと勘違いする」

解答解説 | 2　会話表現

(16) A：Eddy, you look upset.　What's the matter?

エディ，気が動転してるみたいだね。どうしたの?

B：Dad, I have a job interview today.　I thought it would be in the afternoon, but it begins at 11:30.

お父さん，今日は仕事の面接があるんだ。午後だと思ってたけど，11 時半だったんだ。

A：You will still be on time.　The next train is at 10.　（I'll give you a ride to the station.）

まだ間に合うよ。次の電車は 10 時だ。駅まで車で送ってあげる。

B：Thanks, Dad.　I'll wait for you in the car.

ありがとう，お父さん。車で待ってるね。

1	It will be delayed.	それは遅れるだろう。
2	I'll give you a ride to the station.	駅まで車で送ってあげる。
3	I'll pick you up at the station.	駅に迎えに行ってあげる。
4	Good luck.	がんばれ。

GOAL

(*17*) A：Excuse me. Can I try this sweater on?

すみません。 このセーターを試着していいですか?

B：Sure. Here's the fitting room.

どうぞ。 こちらが試着室です。

A：It fits me, but（I don't like this color very much.） **Do you have a blue one?**

サイズは合うのですが、この色があまり好きではありません。 青はありますか?

B：Sorry, but the blue ones are sold out. I can check if our other store has one.

申し訳ありませんが、青は売り切れました。別の店にあるかどうか聞いてみます。

1 　it is a bit too tight. 　でも、 少しきつすぎます。

2 　I'm looking for a sweater. 　セーターを探しています。

3 　**I don't like this color very much.** この色があまり好きではありません。

4 　I need to try it on first. 　まず試着する必要があります。

(*18*) A：How do you feel, Sandy?

どうしましたか, サンディ?

B：I feel very bad, doctor. I have a stomachache.

とても気分が悪いんです, 先生。 おなかが痛いんです。

A：（**When did it begin?**）

いつからですか?

B：Well, **I guess...this morning, after breakfast.**

ええと、今朝、朝食を食べてからだと思います。

A：What did you eat for breakfast?

朝食に何を食べましたか?

B：Oh, I remember. I'm afraid the milk was old.

あっ、 思い出しました。 残念ながらミルクが古かったと思います。

1 　**When did it begin?** いつからですか?(いつ始まりましたか?)

2 　Do you still feel bad now? まだ気分が悪いですか?

3 　Take it easy. 気楽にしてください。

4 　How did it start? どんな風に始まりましたか?

START

(19) A：What do you say to visiting River Park this weekend?

今度の週末リバーパークに行くのはどう？

B：I don't know.（It will rain over the weekend.）It might be dangerous by the river.

どうかなあ。週末はずっと雨になるよ。川のそばは危ないかもしれない。

A：Then, why don't we stay home and watch movies, instead?

じゃあ、その代わりに家にいて映画を見ようか？

| 1 | I'll be busy. | 私は忙しいだろう。 |

| 2 | It will rain over the weekend. | 週末はずっと雨になるだろう。 |

| 3 | I need to visit my uncle. | 私はおじさんをたずねなければならない。 |

| 4 | We visited the park recently. | その公園には最近行った。 |

(20) A：Ms. Lee, may I ask you a favor?

リー先生，お願いがあるのですが？

B：Of course. Go ahead.

もちろんいいですよ。どうぞ。

A：I was sick and absent from your class last week, so I need to catch up with the work. But I don't know what you did in class.

先週病気で授業を休んだので，授業に追いつかないといけないのです。でも授業で何をしたかがわからなくて。

B：In that case, I will help you for sure.（But I need to go to my next class now.）I'll be available after three. Can you come back later?

それなら，必ずお手伝いしますよ。でも今は次の授業に行かなければなりません。3時以降なら時間が取れます。後でまた来られますか？

| 1 | Shall we work together right away? | 今すぐいっしょにやりましょうか？ |

| 2 | Sorry, I don't have time today. | ごめんなさい，今日は時間がありません。 |

| 3 | But I need to go to my next class now. |

でも今は次の授業に行かなければなりません。

| 4 | Why were you absent? | なぜ欠席したのですか？ |

GOAL

Getting Out of Bad Habits
〜から抜け出す　　　　　　　習慣

Jason often failed to do his homework. He often forgot to bring necessary
〜しそこねる　　　　　　　　　　　　　　　　　　　　　　　　　　　必要な物

items to school too. Every day he made up his mind not to make the same
(=ここでは教科書などを指す)　　　　　　決心する　　〜しないように　同じ過ち

mistakes again. But as soon as he came home, he (21)(went out to play). When
　　　　　　　　しかし、家に帰るとすぐ、　　　　　　遊びに出かけた。　　　　再び家

he came back home again, he was busy eating dinner, taking a bath, and watching
に戻ってくると、

TV until late. After watching TV, he was too tired and sleepy to do homework or
　　　　　　　　　　　　　　　　　　　疲れすぎて、眠すぎて宿題ができない

remember what to put in his bag for the next day.
　　　　　何を〜すべきか

One day, while he was talking with Melany, the best student in his class,
　　　　　〜とき　　　　　　　　　　　　メラニー、(彼女は)彼のクラスでいちばん良い生徒だが、

she said to him, "When I go home, I take all my textbooks and notebooks out

of my school bag. Then, I remember what I learned in each class. Next, I
　　　　　　　　　　　　それから、それぞれの授業で勉強したことを思い出す。

do my homework and put everything [that I need for the next day] in my bag.
　　　　　　　　　　　　　　次の日に必要なものを全部

In this way, I know (22)(how much free time) [I have before going to bed]."
このようにすると、寝る前にどれくらいの自由時間があるかがわかる。

Jason started to use her method. This has made him one of the best students in
ジェイソンは彼女の方法を使い始めた。　これ(=前の内容)によって、彼はクラスでいちばん優秀な生徒の

his class.
1人になった。

(21)　1　did his homework　宿題をした

　　　2　took a nap　昼寝をした

　　　3　got rid of his textbooks　教科書を取り除いた(放り出した)

　　　4　went out to play　遊びに出かけた

(22)　1　which TV programs　どのテレビ番組

　　　2　how much free time　どのくらいの自由時間

　　　3　how many textbooks　何冊の教科書

　　　4　what homework　どんな宿題

【訳】悪い習慣から抜け出す

　ジェイソンはしょっちゅう宿題をしそこねた。彼は学校に必要な物を持って行くのもしょっちゅう忘れた。同じ間違いを二度としないようにしようと，彼は毎日決心した。(21)しかし，家に帰るとすぐ，遊びに出かけた。再び家に戻ってくると，夕食を食べたり入浴したり遅くまでテレビを見たりするのに忙しかった。テレビの後ではとても疲れて眠くなり，宿題をすることも翌日のために何をカバンに入れるべきか思い出すこともできなかった。

　ある日，クラスでいちばん優秀な生徒のメラニーと話しているときに，彼女が彼にこう言った。「私は家に帰ると教科書とノートを全部カバンから出すの。それからそれぞれの授業で習ったことを思い出すの。そして宿題をして次の日に必要なものを全部カバンに入れるの。(22)こうすると，寝る前にどれだけの自由時間があるかがわかるわ」ジェイソンは彼女の方法を使い始めた。そのおかげで彼はクラスでいちばん優秀な生徒の1人になった。

From: Miriam Dale, Green Garden Store

To: Suzanna Chapman

Date: March 15

Subject: Shop Information

Dear Ms. Chapman,

Thank you for contacting us. To answer your questions, I'd like to
give you some general information about mint. It is not difficult to
take care of the plant. (23)You can put the seeds in a pot and leave
it in a sunny place. Avoid watering it (as long as the *soil is wet).
Mint species are strong, so they will spread and cover the pot quickly.

We give a gardening class on the second Saturday every month.
The subject of our class happens to be mint. (24)The class might be
helpful for you. It will cover how to make use of mint as well as how
to take care of it. The fee is $10 per person. If you are interested,
please write back to me.

START

(25)You asked if also we have an online store. No, we don't sell
当店にオンラインストアもあるかどうかおたずねでしたね。　　　　　　残念ながら、どの植物もイ

any plants online because they are too delicate to send in boxes. We
ンターネットで販売しておりません。植物はとてもデリケート(せんさい)で箱に入れて送ることができない ので。

are open from 10 am to 8 pm every day except the first Sunday of
各月の最初の日曜をのぞいて

each month. We also offer more than 30 kinds of herb tea and tasty
また、美しい庭のカフェで 30 種類以上のハーブティーとおいしいケーキも提供しておりま

cakes in our beautiful garden cafe. We are hoping to welcome you to
す

our store soon.

Sincerely,
敬具(=手紙などの最後のあいさつ)
Miriam Dale, (25)Green Garden Store

(23) According to Miriam,
ミリアムによると
  1 mint likes sunshine.
     ミントは日光を好む。
  2 mint needs watering every morning.
     ミントは毎朝水やりを必要とする。
  3 mint grows slowly.
     ミントの成長はゆっくりである。
  4 mint needs a lot of care.
     ミントは世話の手間がかかる。

(24) The teacher of the mint class will probably talk about
ミントのクラスの先生が話すのはおそらく
  1 the origin of mint.
     ミントの起源。
  2 famous songs about mint.
     ミントについての有名な歌。
  3 how to draw mint.
     ミントの描き方。
  4 how to make tasty mint tea.
     おいしいミントティーの入れ方。

GOAL

(25) **What do we learn about the store?**
店についてわかることは何か?

| 1 | They are closed only two days a month. |

月 2 回定休日を設けている。

| 2 | They have an online store. |

オンラインストアがある。

| 3 | They have a restaurant. |

レストランがある。

| **4** | **They sell plants.** |

植物を販売している。(オンラインでの販売は否定している)

【訳】

送信者：ミリアム・デイル，グリーンガーデンストア
宛先：スザンナ・チャップマン
日付：3月15日
件名：ショップインフォメーション

チャップマン様
　ご連絡をいただきありがとうございました。ご質問にお答えするため，ミントについての一般的な情報をお伝え致します。この植物を世話するのはむずかしくありません。(23)鉢に種をまき，それを日当たりの良い場所に置いておけばよいのです。土がぬれている間は，水やりを避けてください。ミント種は充分強くて，急速に広がって鉢を覆い尽くします。
　当店では毎月第2土曜日にガーデニング教室を開催しています。教室のテーマは偶然ミントです。(24)この教室はお客様にとって役に立つかもしれません。ミントの世話の仕方とその使い方を扱う予定です。参加費はお1人10ドルです。もしご興味がおありでしたら，返信いただきたいと存じます。
　(25)当店にオンラインストアもあるかどうかおたずねでしたね。残念ながら，植物は大変せんさいなため送ることができないので，どの植物もインターネットで販売しておりません。店舗は毎月第1日曜日を除く毎日，朝10時から夜8時まで開店しております。(25)また，美しい庭のカフェで30種以上のハーブティーとおいしいケーキも提供しております。近いうちにご来店いただけるのをお待ち申し上げております。

敬具
ミリアム・デイル，(25)グリーンガーデンストア

START

GOAL

Daily Decisions
日々の決断

(第1〜2段落)

(26)Mark Zuckerberg, the founder of Facebook, is also known to wear
フェイスブックの創設者のマーク・ザッカーバーグは、　　　　　　　　　ほとんど毎日同じタイプのもの、

the same type of the clothes almost every day: a gray T-shirt and jeans.
すなわちグレーのTシャツとジーンズを身につけていることでも知られている。

People might wonder why he is extremely wealthy. He explains the reason
なぜなのか不思議に思うかもしれない　　　ものすごく裕福な　　　　　　　その習慣の理由

for the habit: it is because he wants to concentrate his time, mind and
　　　　　　　　　　　　　　　　　　　　　　　　　～を集中する　　　　精神

energy on really important matters for the Facebook community.
エネルギー　　　　　　　　　　問題　　　　　　　コミュニティー、共同体

(27)According to him, every time people have to make a decision
彼の言葉によると、　　　　人々は何かについて決定しなければならないたびにエネルギーを消費する

about something, it uses their energy. Even if it is a small one such as
　　　　　　　　　　　　　　　　たとえそれが[何を着るべきか]や[朝食に何を食

[what to wear] or [what to eat for breakfast], it gradually makes them tired.
べるべきか] などの小さなことであっても　　　それ(=小さな決断)が徐々に彼らを疲れさせる

As a result, people will not have enough energy to focus on quite valuable
結果として　　　　　　　　　　　十分な　　　　　集中する

issues. It makes sense. Therefore, this attitude towards small things is
　　　　　理にかなっている　それゆえ　　日常の小さなことに対するこの態度(=ザッカーバーグと同

followed by some young businesspeople.
じ態度)は、若い実業家の中にも従う者がいる

(26) What is Mark Zuckerberg's famous habit?
マーク・ザッカーバーグの有名な習慣とは何か？

　　1　He makes his original T-shirts and jeans.
　　　　彼はオリジナルのTシャツとジーンズを作っている。

　　2　His clothing style is usually the same.
　　　　彼の服のスタイルはふだんから同じ。

　　3　He spends a lot of money on casual fashion.
　　　　彼はカジュアルなファッションにたくさんお金をかける。

　　4　He doesn't work long hours for his company.
　　　　彼は自分の会社のために長時間働かない。

(27) According to Zuckerberg, what makes people tired little by little?
ザッカーバーグによると、何が人々を少しずつ疲れさせるのか？

　　1　To decide something small.　小さな決断をすること。

　　2　To eat breakfast every day.　毎日朝食を食べること。

　　3　To wear the same clothes.　同じ服を着ること。

　　4　To have less energy to focus on.　集中するエネルギーが減ること。

GOAL

（第3～4段落）

(28) [What Zuckerberg and his followers realize] is the fact 〈that
ザッカーバーグと彼に続く者たちが理解しているのは、この地上での私たちの時間が平等に与えら

everyone in this world is given time equally〉. It means that our time is
れているという事実である。   それはつまり、私たちの時間は限ら

limited. In other words, it is very short. So, if people have already found
れている。 言い換えると非常に短いという意味である。

a goal [to achieve in their life], they should spend all their time and energy
人生で達成すべき目標

on the goal (without wasting anything).
何もムダにすることなく

On the other hand, people will find a quite contrary attitude toward
一方で   まったく逆の態度

everyday decisions in religious communities. They would say 〈that the
日常の決定   宗教的な   人生

goal of our life is not success but just to live〉. 〈Living every moment
の目標は成功ではなくただ生きることだ   人生のあらゆる瞬間を心と精神の

of their life with all their heart and mind〉 is far more important than
すべてを傾けて生きること   他の何よりもはるかに大事

anything else. (29) "Put all your attention to every part of your experience,
                「あなたの経験のすべての部分に全注意を払い、すべての小さなことに注意深く決定

make a careful decision on every small thing, and take deep pleasure from
を下し、その過程から深い喜びを得なさい」と彼らなら言うだろう。

the process," they would say. Interestingly, this attitude also comes from
                            興味深いことに

the realization of the shortness of our life. Whichever way of living you
人生の短さを理解すること   どちらの生き方を選ぶべきか

choose depends on your attitude toword life.
～による

184

START

(28) What realization leads to Zuckerberg's attitude?
どのような理解がザッカーバーグの態度をもたらすのか？

> 1　Everybody is economically equal.
> 万人は経済的に平等である。

> 2　People should find a goal in their life.
> 人は人生の目標を見いだすべきである。

> 3　People should follow a great person.
> 偉大な人物に従うべきである。

> **4　Life is short.**
> 人生は短い。

(29) If people think just to live is the most important thing in life, they should
ただ生きていることがいちばん大切だと思うのなら、彼らは〜すべきだ。

> 1　care about nothing but work.
> 仕事以外のことはどうでもよいと考える

> 2　work very hard for success.
> 成功のためにとても熱心に働く

> **3　carefully choose what to do every day.**
> 毎日何をするかを注意深く選ぶ

> 4　do whatever they like.
> 何でも好きなことをする

※成功することよりもただ生きることが大切だという人々は、ザッカーバーグと逆のことを言っている。

GOAL

【訳】日々の決断

(26)フェイスブックの創設者のマーク・ザッカーバーグは，ほとんど毎日同じタイプの服，すなわちグレーのTシャツとジーンズを身につけていることでも知られている。彼はものすごく裕福なので，誰もがなぜだろうかと不思議に思うだろう。この習慣の理由について彼は次のように説明している。つまりそれは，自分の時間と精神とエネルギーを，フェイスブック共同体にとって本当に重要な問題に集中したいからだと。

(27)彼の言葉によると，何かについて決定しなければならないたびごとに，エネルギーが使われる。たとえそれが何を着るべきかや朝食に何を食べるべきかなどの小さなことであっても，その行為は次第に疲労させる。その結果，かなり大切な問題に注意を集中するのに充分なエネルギーがなくなってしまう。理にかなった考えである。だから，日常の小さなことに対するこの態度は，若い実業家の中にも続く者がある。

(28)ザッカーバーグと彼に続く者たちが理解しているのは，この地上での私たちの時間が平等に与えられているという事実である。それはつまり，私たちの時間は限られている，言い換えると非常に短いという意味である。だから，もうすでに人生において達成すべき目標を見いだしているのなら，持っているすべての時間とエネルギーを浪費することなく，その目標のために使いたいと思うだろう。

一方で，宗教共同体の中には，日常的な決定に対するまったく逆の態度が見いだせる。彼らは，人生の目標は成功ではなくただ生きることだと言うだろう。人生のあらゆる瞬間を心と精神のすべてを傾けて生きることが，他の何よりもはるかに大切である。(29)「あなたの経験のすべての部分に全注意を払い，すべての小さなことに注意深く決定を下し，その過程から深い喜びを得なさい」と彼らなら言うだろう。興味深いことに，この態度もまた人生の短さを理解することから生じている。どちらを選ぶかは，その人の人生に対する姿勢による。

START

解答解説 | 5　ライティング（E メール）

Hi!
こんにちは!

As you know, yesterday, I joined a volunteer activity with my classmates. We
君が知っている通り、昨日、クラスメイトと一緒にボランティア活動に参加したの。

went to a beach to collect trash together. It took a long time. It took about
緒にゴミを拾いにビーチへ行ったんだ。 すごく時間がかかったんだ。　　　　　　　約3時間かかった

3 hours to finish cleaning the beach. The work was really hard, but I was
の。 ビーチをきれいにし終わるまでに。　　　　その仕事はすごく大変だったけど、 終わった後にどれ

glad to see how clean the beach became after we finished. I hope people
だけビーチがきれいになったかを見てうれしかったな。　　　　　　ビーチに来た人たち

enjoy seeing our clean beach when they visit. There are many other volunteer
がきれいなビーチを見て楽しんでもらえたらいいな。　　　　他にもたくさんのボランティア活動があるよ。

activities in my city, too. Do you think more people will join volunteer
私の街には。　　　　もっとたくさんの人が将来ボランティア活動に参加すると思う?

activities in the future?

Your friend,
君の友だち、

Kate
ケイト

GOAL

解答例

It's wonderful that you joined such an amazing volunteer activity.
そんなステキなボランティア活動に参加したなんて、すばらしいね。 〔感想：メールの内容に対しての感想や反応を書く〕

What is the name of the beach?
そのビーチの名前はなんていうの？ 〔下線部への１つ目の質問〕

How often do you join beach cleaning activities?
あなたはどのくらいの頻度でビーチ掃除の活動に参加しているの？ 〔下線部への２つ目の質問〕

About your question, I agree that more people will join volunteer activities
あなたの質問についてだけど、私はもっとたくさんの人たちがボランティア活動に参加することに賛成だよ。 〔相手の質問に対する自分の意見〕

because these days many people care about their communities.
なぜなら、最近はたくさんの人たちが自分のコミュニティ（地域社会）に関心があるから。 〔自分の意見の理由〕

Young people, especially, want to make a difference in society.
特に、若い人たちは社会に変化を生み出したいと思っている。 〔説明の付け加え〕

解答解説 | 6 ライティング（英作文問題）

QUESTION

Do you think it is better for children to grow up in big cities than in the countryside?
あなたは、子どもにとって大都市で育つことは田舎で育つより良いことだと思いますか？

（解答例1）

　Yes, I do.　I have two reasons.　First, children have more opportunities to
はい, そう思います。 理由は2つあります。　　　　まず、　大都市では、子どもたちがさまざまな文化に触れ、他

experience many kinds of cultures and meet people from other countries in big
の国の人たちと知り合う機会が多くあります。

cities.　They can learn how to see things in various ways.　Second, there are more
　　　　　　　物事をいろいろな角度から見ることができるようになるのです。　　　　2つ目は、良い学校が多いこと

good schools.　Children can easily learn what they want to learn or what they are
です。　　　　　子どもたちは自分が学びたいこと、興味のあることをかんたんに学ぶことができます。

interested in.

（解答例2）

　No, I think it is better for children to grow up in the countryside.
いいえ、私は子どもにとって田舎で育つ方が良いと思います。

I have two reasons for this. First, there is more nature, and the air is cleaner in the
理由は2つあります。　　　　まず、　田舎の方が自然がたくさんあり、空気もきれいです。

countryside.　So, living there is healthier than living in big cities. Second, people
　　　　　　だから田舎に住むのは大都市に住むより健康的です。　　　　2番目に、田舎では

know and help one another in the countryside.　Therefore, I think the countryside
人々がお互いを知っていて助け合います。　　　　　　　したがって、　子どもには田舎の方が育つのに

is a better environment for children to grow up in.
良い環境だと思います。

第1部

No.1
🔊
50

☆ Hi, Leo. Is something wrong? You look tired.
こんにちは、レオ。何か問題でもあるの？疲れているみたいだね。
★ I am. I've been using the computer since this morning.
そうなんだ、今朝からずっとコンピュータを使っているんだ。
☆ It's already two o'clock. You should take a break.
もう2時だよ。　　　　　　　　休憩するべきだよ。

Answer:　　1　I left home at seven.　7時に家を出たんだ。

　　　　　　2　My computer is broken.　ぼくのコンピュータが壊れているんだ。

　　　　　　3　OK. I'll make coffee.
その通りだね。コーヒーをいれるよ。

No.2
🔊
51

☆ Are you ready to order, sir?
ご注文はお決まりでしょうか？
★ I'll have coffee and ice cream.
コーヒーとアイスクリームにします。
☆ Certainly. How would you like your coffee?
承知しました。コーヒーはどのようになさいますか？

Answer:　　1　With milk only.　ミルクだけで結構です。

　　　　　　2　No, thanks.　いいえ，結構です。

　　　　　　3　It was tasty.　おいしかったです。

No.3
🔊
52

☆ Hi, Brian. What do you say to going surfing tomorrow?
こんにちは、ブライアン。明日サーフィンに行くのはどう？
★ Sorry, but I need to study. I have an exam on Thursday.
残念だけど、勉強しないといけないんだ。木曜日に試験があるんだよ。
☆ Well, what about Friday?
じゃあ、金曜日はどう？

Answer:　　1　That would be nice.　それはいいね。

　　　　　　2　I have to study for the exam.　試験のために勉強しないといけないんだ。

　　　　　　3　Why don't we go surfing tomorrow?　明日サーフィンに行かない？

No.4

🔊

53

★ Where did you buy this plate?　It's so beautiful.
このお皿はどこで買ったんですか？　　　　とてもきれいですね。

☆ At the school flea market yesterday.
昨日，学校のフリーマーケットで買ったの。

★ Do you often go to flea markets?
よくフリーマーケットに行きますか？

Answer:　**1**　No, I've never been to a flea market.
いいえ，フリーマーケットには行ったことがありません。

2　Not often, but sometimes.　よくは行かないけど，たまに行きます。

3　It was fun.　楽しかったです。

No.5

🔊

54

★ I'm home, Mom.
ただいま，　　お母さん。

☆ How was the athletic festival?　Did everyone have a good time?
運動会はどうだった？　　　　　　　みんな楽しめた？

★ Two classmates fell down and got badly injured while running.
走っているときに，クラスメートが2人転んで大けがをしたんだ。
They are probably still in the hospital.
たぶんまだ病院にいるよ。

Answer:　**1**　That's too bad.　それは気の毒に。

2　I'm not sure.　よくわからない。

3　The hospital is near your school.　病院は学校の近くです。

No.6

🔊

55

★ Excuse me, I've lost my dictionary somewhere here at school.
すみません，　辞書を学校のどこかで失くしてしまいました。

☆ When and where did you use it last?
最後に使ったのはいつ，どこでですか？

★ I think it was in Room 7 during 2nd period yesterday.
昨日の2時間目に7番教室で使ったと思います。

☆ Let's see...　Someone brought this here.　Is it yours?
ちょっと待ってください...　誰かがこれをここに持ってきました。　あなたのものですか？

Answer:　**1**　Yes, I brought it here.　はい，私が持ってきました。

2　I left my dictionary at home.　辞書を家に忘れてきました。

3　No, mine is an English dictionary.
いいえ，私のは英語の辞書です。

GOAL

No.7

🔊 56

☆ What are you going to do this weekend, Bob?
今週末は何をする予定なの、　ボブ？
★ I have to work at my part-time job.　We'll be very busy till the next month.
アルバイトがあるんだ。　来月まで忙しくなりそうだよ。
How about you?　What are you going to do?
君はどうなの？　何をする予定？
☆ I'm going on a short trip to Okinawa.　I'll go surfing.
私は沖縄に小旅行に行くよ。　サーフィンをしに行くの。

Answer:　　1　Me, too.　ぼくもだよ。

　　　　　　2　I quit my job.　仕事をやめたんだ。

　　　　　　3　I wish I could go surfing.　サーフィンに行ければなあ。

No.8

🔊 57

★ Hello.　May I speak to Dr. Johnson?
もしもし。ジョンソン先生とお話しさせていただきたいのですか？
☆ He is with a patient.　May I take a message?
患者さんといっしょにいらっしゃいます。　伝言をうけたまわりましょうか？
★ No, thanks.　I'd like to talk to him directly.
いいえ，結構です。直接お話ししたいです。

Answer:　　1　If so, could you call him back later?
　　　　　　　それなら，後でかけ直していただけますか？
　　　　　　2　He will not come back home today.　彼は今日は家に戻りません。

　　　　　　3　You're welcome.　Hold on, please.
　　　　　　　どういたしまして。　そのままお待ちください。

No.9

🔊 58

☆ Mr. Osnat, I have some questions about your class today.
オスナット先生，今日の授業について質問があるのですか？
★ Well, I'll be busy all day today.　Can you wait till Wednesday?
ええと，今日は1日中忙しいのです。　水曜日まで待ってもらえますか？
☆ When are you available on Wednesday?
水曜日のいつならお時間が空いていますか？

Answer:　　1　You can come back between 2 and 3.
　　　　　　　2時から3時の間に来てください。
　　　　　　2　I'll be busy on Wednesday.　水曜日は忙しいです。

　　　　　　3　Yes, but why?　はい，でもどうしてですか？

START

No.10
🔊
59

☆ Hello. Western Communication Company. How may I help you?
もしもし，ウェスタン・コミュニケーション・カンパニーです。　　ご用件をうけたまわりましょうか？

★ Hi, Cynthia. This is Ben. The train is not running this morning.
こんにちは，シンシア。ベンです。　　今朝は電車が動いていません。

I won't arrive at the office on time.
時間通りに会社につきません。

☆ That's too bad. What happened?　気の毒に。何があったんですか？

★ There was a big accident near the station.
駅の近くで大きな事故があったんです。

Answer:
1 　You can work from home today.
今日は在宅勤務すればいいですよ。

2 　You should go to the hospital.　病院に行くべきですよ。

3 　You can get to the station soon.　駅にまもなく到着できますよ。

ちゃんと解説を
読んでいてえらいね！

GOAL

第2部

No.11

🔊 60

☆ Dad, can you drive me to the swimming pool?
お父さん、プールまで車で送ってくれる？

★ I have an appointment with Dr. Hudson. I can drive you after the dentist.
ハドソン先生の予約があるんだ。　　　　　歯医者の後なら送っていけるよ。

☆ I promised to meet with Michael in 30 minutes. OK, I'll take a bus.
マイケルと30分後に会う約束なの。　　　　わかった、バスで行くわ。

Question: Where is the girl going? 女の子はどこへ行くか？

Answer:
1 To the swimming pool. プールへ。

2 To the dentist. 歯医者へ。（→歯医者に行くのは父親）

3 To Michael's. マイケルのところへ。

4 To the station. 駅へ。

No.12

🔊 61

★ Excuse me, I bought this shirt yesterday, but it's too tight. Can I exchange
すみません、　　昨日このシャツを買ったんですが、　　きつすぎます。　　大きなものと

it for a bigger one?
交換できますか？

☆ Could you show me the receipt?
レシートを見せていただけますか？

★ Here you are.
はいどうぞ。

☆ Thank you. I'll see if we have a bigger one.
ありがとうございます、大きなものがあるか見てきます。

Question: What is the man's problem?
この男性の問題は何か？

Answer:
1 He doesn't need a shirt. シャツを必要としていない。

2 He doesn't have the receipt. レシートを持っていない。

3 He bought the wrong size. 違うサイズを買った。

4 He can't exchange anything. 何も交換できない。

No.13

🔊 62

★ What shall we bring to Sandra's party?
サンドラのパーティーに何を持っていこうか？

☆ How about fruit salad?
フルーツサラダはどうかな？

★ I've never seen her eating fruit.
彼女がフルーツを食べているところを見たことがないよ。

☆ I see.　You are good at making sandwiches, right?　Can we make some
そうね。　あなたはサンドイッチを作るのが得意でしょ？　　　　いっしょに作らない？
together?

★ OK.　いいですね。

Question: What is the reason they will not bring fruit salad?
彼らがフルーツサラダを持っていかない理由は何か？

Answer:　**1**　They are going to Sandra's party.　サンドラのパーティーに行く。

　　　2　Sandra doesn't seem to eat fruit.
　　　　　サンドラはフルーツを食べないようだ。

　　　3　Sandra likes sandwiches.　サンドラはサンドイッチが好きだ。

　　　4　They will invite Sandra.　サンドラを招待するつもりだ。

No.14

🔊 63

★ Hello. CRA Bank.　How may I help you?
もしもし。CRA銀行です。ご用件をうけたまわります。

☆ This is Catherin Johnson speaking.　I have an appointment with Mr.
こちらはキャサリン・ジョンソンです。　　　今日の3時にコリンズさんと面会予約があるの
Collins at 3 today, but my daughter is very sick.　Could I put off the
ですが、　　　娘の具合がとても悪いのです。　　　予約を延期していただくこと
appointment?
はできますか？

★ Sure.　I'll ask him and call you back in ten minutes.
もちろんです。彼に聞いて、10分以内にかけ直します。

☆ Thank you.　ありがとうございます。

Question: What will the woman do next?
女性は次に何をするか？

Answer:　**1**　Meet with Mr. Collins.　コリンズさんと会う。

　　　2　Call them back.　電話をかけ直す。

　　　3　Lie sick in bed.　病気で寝込む。

　　　4　Wait for their call.　彼らからの電話を待つ。

選択肢が動詞で始まる
場合は、これからのこと
を聞かれる可能性が高い

No.15

🔊 **64**

★ Are you ready to order, ma'am?
ご注文はお決まりですか，奥様？

☆ I'll have today's fish and soup, please.
本日の魚料理とスープをお願いします。

★ Sorry, today's fish has just sold out.　We can offer chicken steak instead.
申し訳ありません，本日の魚料理はちょうど売り切れてしまいました。代わりにチキンステーキをご用意できます。

☆ I don't like chicken.　I'll have just salad and soup, please.
チキンは苦手です。　　　サラダとスープだけお願いします。

Question: What will the woman eat?　女性は何を食べる？

Answer:　　1　Chicken.　チキン。

　　　　　2　Fish and soup.　魚とスープ。

　　　　　3　Salad and soup.　サラダとスープ。

　　　　　4　Just coffee.　コーヒーだけ。

No.16

🔊 **65**

☆ Hi, George, this is Lucy at the sales department.　Will you come over to check our printer?
こんにちは，ジョージ，営業部のルーシーです。　　　　プリンターを見に来てくれませんか？

★ Sure.　Is there something wrong?
もちろんです。何か問題がありますか？

☆ Yes.　I need to print some documents, but the machine isn't working well.
はい。　いくつか書類を印刷する必要があるのですが，機械がうまく動いていません。

★ If you are in a hurry, use the printers in our department.
お急ぎなら，　　　　　　こちらの部署のプリンターを使ってください。

Question: What will the woman do next?

Answer:　　1　Fix the printer.　プリンターを修理する。

　　　　　2　Use another printer.　別のプリンターを使う。
　　　　　　女性は次に何をするか？
　　　　　3　Attend a meeting.　会議に出席する。

　　　　　4　Print documents for George.　ジョージのために書類を印刷する。

START

No.17

66

★ Are you looking for a bag?　How about this one?　This is both fashionable
バッグをお探しですか？　　　　こちらはいかがですか？　　　　おしゃれで使いやすいですよ。
and easy to use.

☆ It looks perfect!　I'll take it.　How much is it?
カンペキだわ！　　　　それにします。　おいくらですか？

★ 200 dollars.
200 ドルです。

☆ Oh, that's more than I expected.　Do you have anything less expensive?
まあ，それは私が予想した金額よりも多いです。　もっと高くないのはありませんか？

Question: Why won't the woman buy the bag?
なぜ女性はそのバッグを買わないのか？

Answer:　　1　　It's not fashionable.　おしゃれではない。

　　　　　　2　　It's difficult to use.　使いにくい。

　　　　　　3　　It's too expensive.　高すぎる。

　　　　　　4　　It's perfect.　カンペキだ。

No.18

67

★ Hello, Susan.　This is David.　Why don't we get together this Sunday?
もしもし，スーザン。　デビッドです。　　　今度の日曜日に会いませんか？
There's an interesting movie playing at the theater.
劇場でおもしろい映画をやっているよ。

☆ Well, I'm working as a volunteer this weekend.
ええと，今週末はボランティアとして働いているの。

★ What about Monday, then?
それでは月曜日はどう？

☆ No way.　I have to prepare for an exam.
だめ。　　試験の準備をしなければいけないの。

Question: What is one thing we learn about them?
彼らについてわかることは何か？

Answer:　　1　　They will meet on Sunday.　日曜日に会う。

　　　　　　2　　They will meet on Monday.　月曜日に会う。

　　　　　　3　　They don't want to go to the movies.　映画に行きたくない。

　　　　　　4　　They cannot meet soon.　すぐには会えない。

GOAL

★ Hello, Ms. Hudson. This is Joe from next door.
もしもし、ハドソンさん。　隣のジョーです。
☆ Hi, Joe. How're you doing?
こんにちは、ジョー。元気ですか?
★ My sister is locked up in the bathroom. The door is locked, and I can't
妹がトイレに閉じ込められているんです。　　　　　ドアにカギがかかっていて、開けられません。
open it. I can't leave her there till my mom comes home.
　　　　　母が帰ってくるまで彼女をそこに置いておけません。
☆ Oh, my gosh. I hear her crying. OK. I'll come over to help you.
まあ、大変。　　彼女の泣き声が聞こえるわ。わかった。助けに行くわ。

Question: What will the woman do next?
女性は次に何をするか?
Answer:　　　1　　Use the bathroom.　トイレを使う。

　　　　　　　2　　Lock the door.　ドアにカギをかける。

　　　　　　　3　　Pick up their mother.　母親を迎えに行く。

　　　　　　　4　　Go to the house next door.　隣の家へ行く。

☆ Daniel, shall we go to eat at Italian Kitchen?
ダニエル、イタリアンキッチンに食べに行かない?
★ I don't know. We've already eaten there three times this week.
そうだな。　　　　今週はそこで3回も食べたよ。
☆ Then, what do you say to going to the new sushi place?
じゃあ、新しいすし屋へ行くのはどう?
★ Honey, why don't we just cook something at home?
ねえ、家で何か作らない?

Question: What does the man want to do?
男性は何がしたいか?
Answer:　　　1　　To eat at home.　家で食べる。

　　　　　　　2　　To eat sushi.　すしを食べる。

　　　　　　　3　　To make Italian food.　イタリア料理を作る。

　　　　　　　4　　To eat out.　外食する。

START

第3部

No.21
🔊
70

Thank you for joining Sunset Tour.　We will soon arrive at Dolphin
サンセットツアーにご参加いただき，ありがとうございます。　まもなくドルフィン水族館に到着いたします。
Aquarium.　You don't need to pay anything because this tour includes your
　　　　　　このツアーには水族館のチケットと夕食が含まれていますので，何もお支払いいただく必要
tickets and dinner.　If you would like to see the dolphin show, you have to buy
はありません。　　　　　ただし，もしイルカショーを見たいとお思いなら，　　　　ドルフィンパークのチ
a ticket to Dolphin Park though.　**Please make sure to come back to the bus by**
ケットをお買い求めください。　　　　　　午後3時までには必ずバスに戻ってきてください。
3 pm.　We're going to Marine French.　There you'll enjoy the most delicious
　　　　私たちはマリーン・フレンチへ向かいます。　そこではこの市で最もおいしい夕食を楽しめます。
dinner in this city.

Question: What is the one thing that the man says?
　　　　　男性が言っていることの1つは何か?
Answer:　　　1　　The participants should speak French.
　　　　　　　　　　参加者はフランス語を話すべきだ。
　　　　　　　2　　Dinner will be served at 3 p.m.　夕食は午後3時からだ。

　　　　　　　3　　The dolphin show will be canceled.
　　　　　　　　　　イルカショーは中止の予定だ。
　　　　　　　4　**The participants should return to the bus.**
　　　　　　　　　　参加者はバスに戻るべきである。

No.22
🔊
71

On New Year's Day this year, **Michelle decided to try many things.**　In
今年の元日に，　　　　　　　　　　ミシェルはいろいろなことに挑戦することにした。　　　　1月
January, she read a book about how to read maps.　Thanks to that knowledge,
に，　　彼女は地図の読み方に関する本を読んだ。　　　　　その知識のおかげで，
she enjoyed hiking in the nearby field more than before in February.　She
2月には近くの野原で以前よりハイキングを楽しんだ。　　　　　　　　　　彼女
posted photos of nature on Instagram, and they were very popular.　Now, she
はインスタグラムに自然の写真を投稿し，　　　それらはとても人気があった。　　　今，彼女は
is thinking about learning to cook.
料理を学ぶことを考えている。

Question: What does Michelle do every month?
　　　　　ミシェルは毎月何をしているか?
Answer:　　　1　　Read books about maps.　地図についての本を読む。

　　　　　　　2　　Go hiking far away from home.　家から遠いところまでハイキングに行く。

　　　　　　　3　　Post photos to Instagram.　インスタグラムに写真を投稿する。

　　　　　　　4　**Learn something new.**　何か新しいことを学ぶ。

GOAL

No.23

🔊 **72**

Sir Arthur Conan Doyle is known as the author of the Sherlock Holmes
サー・アーサー・コナン・ドイルはシャーロック・ホームズシリーズの著者として知られている。
series. He started his career as a doctor. After graduating from university,
彼は医者としてキャリアをスタートさせた。　　　大学卒業後、
he became a doctor on a ship bound for Africa. He couldn't bear the hot
彼はアフリカ行きの船で医者になった。　　暑い気候に耐えることができず、
climate and soon quit the job. Then, he opened a clinic with a friend, but it
彼はすぐに仕事をやめた。それから、彼は友人と診療所を開いたが、それも
didn't last long, either. As an independent doctor, he couldn't make enough
長続きしなかった。　　　　独立した医者として　　　　彼は十分なお金を稼ぐことができ
money until he published the stories of Holmes.
なかった。　ホームズの物語が出版されるまで、

Question: What is the one thing we learn about Sir Arthur Conan Doyle?
サー・アーサー・コナン・ドイルについてわかることは何か？

Answer:
1 He was a best-selling author from the start.
最初からベストセラー作家だった。

2 He was a ship's doctor at first. 彼は最初、船医だった。

3 He was a sailor for a long time. 彼は長い間船乗りだった。

4 He was a rich clinic doctor. 彼は裕福な診療所の医師だった。

No.24

🔊 **73**

Welcome to Brighton Hotel. Your room is 1203 on the 12th floor. The
ブライトンホテルへようこそ。　　　　　　お部屋は12階の1203号室です。
elevator is at the end of the hall. Breakfast is included in the room fee. It is
エレベーターがホールの突き当たりにあります。　朝食は宿泊料に含まれております。　　　7時
served from 7 to 10 at the banquet room on the 3rd floor. Please don't forget
から10時まで3階の宴会場で提供されます。　　　　　　このチケットを見せるのを忘
to show them this ticket. Otherwise, you will have to pay for breakfast.
れないでください。　　　　　　そうしないと、朝食の料金を払わなければなりません。
Finally, please clear your room before 10:30.
最後に、　10時30分までに部屋を退出してください。

Question: How can people eat breakfast without paying a fee?
料金を支払わずに朝食を食べるにはどうしたらよいか？

Answer:
1 By showing the tickets. チケットを見せることで。

2 By leaving the room by 10:30. 10時半までに部屋を出ることで。

3 By taking the elevator to the third floor.
3階までエレベーターで行くことで。

4 By calling the reception desk. 受付に電話することで。

No.25

🔊
74

Miriam meant to finish her term paper by last weekend. She borrowed
ミリアムは先週末までに期末レポートを終えるつもりだった。
two books from her university library. She is supposed to return them by
館から本を2冊借りた。　　　　　　　　　彼女はそれらを明日までに返却することになっている。
tomorrow. However, she had to work at her part-time job for longer hours.
しかし、　　　彼女はいつもより長くアルバイトをしなければならなかった。
Her term paper has not been completed yet, so she is unlikely to return the
彼女の期末レポートはまだ終わっておらず、　　　　　彼女が明日までにその本を返却する可能
books by tomorrow.
性は低い。

Question: What is one thing we learn about Miriam's situation?
ミリアムの状況についてわかることは何か？

Answer:　**1**　**The two books are still with her.**
その2冊の本はまだ彼女の手元にある。
　　　　　2　She wrote her report in the library.
彼女はレポートを図書館で書いた。
　　　　　3　She has already handed in her report.
彼女はすでにレポートを提出した。
　　　　　4　She left her book at her part-time job.
彼女はアルバイト先に本を忘れた。

No.26

🔊
75

Raymond used to live with his parents, and it took him two hours to get to
レイモンドはかつて両親と暮らしていて、　　　　会社に行くのに2時間かかっていた。
his office. He needed to stay in a hotel when he worked till late. Recently,
遅くまで働いたときはホテルに泊まらなければならなかった。　　　最近、
he decided that he should live in a more convenient location, and he did.
彼はもっと便利な場所に住むべきだと決心し、　　　　　　　　そうした。
Everyone in his office thought that his decision to move made sense. He
会社の誰もが、引っ越すという彼の決断を理にかなっていると思った。　　　彼は
enjoys meeting his friends after work now.
今や、仕事の後に友人と会うことを楽しんでいる。

Question: What did Raymond do recently?
レイモンドは最近何をしたか？

Answer:　1　He stayed at his friend's house.
友だちの家に泊まった。
　　　　　2　He moved in with his parents.
両親と同居することになった。
　　　　　3　He stayed in a hotel.
ホテルに滞在した。
　　　　　4　**He moved to a room near his office.**
会社の近くの部屋に引っ越した。

No.27

🔊 76

After Simon retired from his job this April, he joined a gym. He thought
この4月にサイモンが退職した後、　　　　　　　　　　　彼はジムに入会した。　彼は定期的に
he should do exercise regularly. As he needs to take two buses to get to the
運動するべきだと思ったのだ。　　　　　　　ジムに行くのに2台のバスに乗る必要があるので、
gym, he soon came to think it's a waste of time. So, he is thinking about
彼はすぐに時間のむだだと思うようになった。　　　　　　　だから、彼はジムを退会して、代
canceling his membership and jogging in a park near his room every morning
わりに毎朝部屋の近くの公園でジョギングをしようと考えている。
instead.

Question: Why is Simon thinking about quitting the gym?
なぜサイモンはジムをやめようと思っているのか?

Answer:　1　He retired from his job. 彼は退職した。

　2　He should do exercise regularly. 彼は定期的に運動すべきだ。

　3　He takes time to get there. そこに行くのに時間がかかる。

　4　He jogs in a nearby park. 近くの公園でジョギングをする。

No.28

🔊 77

When I was a junior high school student, I had a good friend called Annie.
私が中学生だったとき、　　　　　　　　　　　私にはアニーという親友がいた。
We used to spend time together after school almost every day, but we didn't
私たちはほとんど毎日いっしょに放課後時間を過ごしたものだったが、　　　　同じ高校には行
go to the same high school. Since then, I've never heard from her. I made
かなかった。　　　　そのとき以来、彼女と連絡をとっていない。　　そのかわり、
friends with Mari at my high school instead. We have a common favorite
高校ではマリと友だちになった。　　　　私たちには共通のお気に入りの教科、
subject: biology. So, we'll probably go to the same university.
生物がある。　　　だから、私たちはたぶん同じ大学に行くだろう。

Question: What is one thing we learn about the woman?
女性についてわかることは何か?

Answer:　1　She used to be called Annie. かつてアニーと呼ばれていた。

　2　She likes to study biology. 生物を勉強するのが好きだ。

　3　She didn't go to high school. 高校に行かなかった。

　4　She sometimes talks with Annie. 時々アニーと話す。

No.29

78

Thank you for coming to Fountain Mall. Clothing and bags are on sale
ファウンテンモールへお越しいただきありがとうございます。　5階で衣服とバッグのセールを開催中です。
on the fifth floor. If your children are with you, please drop into the toy
お子様連れなら、　おもちゃ売り場にお立ち寄りください。
department. Lots of imported toys are displayed there. If you are hungry,
そこにはたくさんの輸入おもちゃを展示しております。　もしおなかが空いたら、
you can enjoy dishes from all over the world on the sixth floor. Please take
6階で世界中の料理を楽しむことができます。　クローク(荷物を
advantage of the cloak room and enjoy shopping comfortably.
あずかる所)を活用して快適に買い物をお楽しみください。

Question: What can you do on the sixth floor?
6階でできることは何か?
Answer:　1　Buy clothes on sale.　安売りで服を買う。

　　2　Buy imported toys.　輸入のおもちゃを買う。

　　3　Eat international food.　国際的な料理を食べる。

　　4　Leave heavy bags.　重いバッグをあずける。

No.30

79

Hello, Mr. Sano. This is Alice Fisher from Mills Estate. Thank you
もしもし、佐野さん。　ミルズ不動産のアリス・フィッシャーです。　グローブ通りの
for contacting us about the house on Grove Street. It is a two-bedroom
家についてご連絡いただきありがとうございます。　寝室が2つのアパートです。
apartment. Although the kitchen is not large, you'll find nice restaurants
キッチンは広くありませんが、　近所に良いレストランやカフェがあります。
and cafes in the neighborhood. You can also use the storage room on the
また1階の収納室を、ふだんあまり使わないものを保管する
first floor to keep things you seldom use. Keeping animals is not allowed,
ために使うことができます。　動物を飼うことは許されていませんが、
however, the rent is reasonable for this area; $1000 per month.
この地域にしては賃料は手頃で、月1000ドルです。

Question: What do you learn about the room?
部屋についてわかることは何か?
Answer:　1　You can seldom use the room.
　　　　　　その部屋をほとんど使えない。

　　2　There are no restaurants nearby.
　　　　近くにレストランはない。

　　3　You can't keep cats in the room.
　　　　部屋でネコを飼うことはできない。

　　4　You can get a pet for $1000.
　　　　1000ドルでペットを飼うことができる。

🔊 80

Simple Lifestyles
シンプルなライフスタイル

These days, simple lifestyles are becoming popular among many people.
最近、　　　　シンプルなライフスタイルが多くの人の間で人気になってきている。

More and more people are having trouble because they have too many
部屋に洋服やそのほかの物が多すぎるので、困っている人が増えている。

clothes and other things in their rooms. Some people throw away these
不要なものを捨てて、シンプルな生活を送る
《ここに注目

unnecessary items to have a simple life. By doing so, they can clean their
人もいる。　　　　　　　　　　　　　　　　そうすることで、　部屋の掃除がより楽になり、

rooms more easily and concentrate on the important things in their lives.
生活の中の重要なことに集中できるようになる。

発音に注意する単語

clothes　　unnecessary　　concentrate　　lives

【Questions】

🔊 81

No.1

According to the passage, how can some people clean their rooms easily?
この文章によると、　　　　　　　ある人々はどのようにしてかんたんに部屋の掃除をするのでしょうか？

（解答例）

1 By throwing away unnecessary items (to have a simple life).
（シンプルな生活を送るために）不要なものを捨てることによってです。

2 They throw away unnecessary items.
(= Some people)
彼らは不必要なものを捨てます。

> by doing so や in this way の
> 前の文の内容に注目しよう

🔊
82

No.2

Now, please look at the people in Picture A. They are doing different things.
では，イラストAの人々を見てください。　　　　　　　彼らは別々のことをしています。

Tell me as much as you can about what they are doing.
彼らが何をしているのか，可能なかぎりたくさん私に伝えてください。

（解答例）

A man is feeding fish.　男性は魚にエサをあげています。

Two boys are waving (to[at] each other).
2人の少年がお互いに手をふっています。

A woman is making an announcement.
女性がアナウンスをしています。

A girl is getting into a car.
女の子が車に乗り込んでいます。

A man is pulling a cart.　男性がカートを引いています。

▶ 単数の主語は a man/a woman/a boy/a girl のいずれかにする。
▶ 動詞は必ず現在進行形（is doing または are doing）にする。

🔊
83

No.3

Now, look at the girl in Picture B.　Please describe the situation.
では，イラストBの少女を見てください。　その状況を説明してください。

（解答例）

1 She has too many bags (in both hands), so she can't pick
（両手に）バッグをたくさん持っていて，　　　　　　サイフが拾えません。

up her wallet.

2 She dropped her wallet and wants to pick it up, but she
彼女はサイフを落として拾いたいが，

can't do so because she has too many bags.
たくさんのバッグを持っているのでそうできません。

▶ 状況の説明は，because や so を使って，原因や理由も描写する。

GOAL

◀))
84

No.4

Do you think online shopping will be more popular in the future?
オンラインショッピングは、将来もっと人気が出ると思いますか?

（解答例）

Yes の場合

Yes. People can order things at any time. Also, they don't need to go to stores to
はい。　人々はいつでも注文できます。　　　　　　　また必要な品を探しに店に行く必要がありません。

look for items they need.

▶質問内容から、自分個人の体験や好き嫌いでなく一般化した答えが求められているので、people, you などを
主語にして答える。

No の場合

No. Delivery costs money. Also, choosing products is easier when you can see
いいえ。配送にお金がかかります。　　また商品選びは実物を見ることができる方が楽です。

real things.

◀))
85

No.5

There are many convenience stores in Japan today. Do you like to go to

convenience stores?
今日の日本にはたくさんコンビニがあります。あなたはコンビニに行くのが好きですか?

（解答例）

Yes の場合

Yes. They have many things for our daily life. Also, they are convenient because
はい。　私たちの日常生活に必要なものがたくさんそろっています。また、毎日 24 時間営業しているので便利です。

they are open 24 hours every day.

▶ convenience stores を they に言い換えて答える。「コンビニ」は日本語なので使用不可。

No の場合

No. I can't find the things I need in convenience stores. Also, everything there is
いいえ。コンビニでは必要なものが見つかりません。　　　　　　　また、そこにあるものは全部他の

more expensive than in other stores.
店より高いです。

▶コンビニの欠点を考えて答える。

監修者

野崎順　のざき じゅん

森村学園中等部高等部英語科教員。英検® 1級合格・国際バカロレアMYP及びDPコーディネーター。
1981年生まれ。同志社大学卒業後、総合商社に勤務。退社後、JICA青年海外協力隊として中米ホンジュ
ラスにて2年間青少年活動に従事。その後山梨学院中学校・高等学校に英語教員として勤務。英語科
主任を務め、英検® 指導改革を実施。中学3年生の約7割が卒業までに準2級に合格し、約2割が2
級に合格する学校へと変貌させた。長年にわたり英検® 対策講座を担当。
2024年現在、森村学園にて英検® 3級～1級の対策講座を担当。毎年多数の合格者を輩出している。

江川昭夫　えがわ あきお

教職46年。英語初期学習者の効率的学習法から海外子女帰国後の英語力の維持発展まで英語教育全
般における実績に定評がある。佼成学園 教頭、アサンプション国際中学校・高等学校 校長、森村学
園 中等部・高等部 校長を歴任。グローバル人財育成を主軸とするプログラムを成功に導く。2024年
4月 大阪・豊中、履正社中学校 校長に就任。『一問一答　英検® 4級 完全攻略問題集』『同5級』（高
橋書店）の著者。

編集協力：Juan Jose Soto Soto（山梨学院中学校・高等学校 英語科教諭）
動画撮影・編集：佐藤崇文

※英検® は、公益財団法人 日本英語検定協会の登録商標です。
※このコンテンツは、公益財団法人 日本英語検定協会の承認や推奨、その他の検討を受けたものではありません。

本書は2023年8月に発刊した書籍を、2024年度の試験リニューアルに合わせて加筆・訂正した改訂版です。

英検® 準2級合格問題集

監修者　野崎　順　江川昭夫
発行者　清水美成
編集者　梅野浩太
発行所　**株式会社 高橋書店**
　　　　〒170-6014 東京都豊島区東池袋3-1-1 サンシャイン60 14階
　　　　電話　03-5957-7103

ISBN978-4-471-27620-1　©TAKAHASHI SHOTEN　Printed in Japan

本書の内容についてのご質問は「書名、質問事項（ページ、内容）、お客様のご連絡先」を明記のうえ、
郵送、FAX、ホームページお問い合わせフォームから小社へお送りください。
回答にはお時間をいただく場合がございます。また、電話によるお問い合わせ、本書の内容を超えたご質問には
お答えできませんので、ご了承ください。本書に関する正誤等の情報は、小社ホームページもご参照ください。
【内容についての問い合わせ先】
　書　面　〒170-6014 東京都豊島区東池袋3-1-1 サンシャイン60 14階　高橋書店編集部
　FAX　03-5957-7079
　メール　小社ホームページお問い合わせフォームから　（https://www.takahashishoten.co.jp/）
【不良品についての問い合わせ先】
　ページの順序間違い・抜けなど物理的欠陥がございましたら、電話03-5957-7076へお問い合わせください。
　ただし、古書店等で購入・入手された商品の交換には一切応じられません。